日本美術の底力

「縄文×弥生」で解き明かす

山下裕二 Yamashita Yuji

はじめに

いま、私の手許に、二〇年前の一冊の著書があります。二〇〇〇年に上梓した、赤瀬川原平さんとの対談集、『日本美術応援団』。一九九六年から『日経アート』という雑誌で対談をはじめて、隔月で一八回、三年間の連載をまとめ、日経BP社から刊行したものです。久しぶりに書棚から引っぱり出したのですが、背の部分はすっかり焼けていて、あらためて二〇年という歳月の長さをしみじみ思います。

その本の冒頭に、赤瀬川さんは「日本美術を応援する」と題して、以下のような文章を寄せています。

> 日本美術の応援に鉦や太鼓はいらない。まずは素手でいい。丸腰のまま、外野席に坐

る。

いまのプロ野球の外野席はあまり好きではない。鉦や太鼓の騒音に頼りすぎる。外野席というのはもっと人生に挫折したりして、静かにそうっとしゃがんで見るものだ。日本美術の場合はそれができる。外野席にはほとんど人がいない。内野席にもちらほら。バックネット裏の放送席でも、解説者が眠ったりしている。

そう、その頃は「日本美術を応援する」ことが、私にとっても赤瀬川さんにとっても、喫緊の課題だったのです。印象派などの西洋美術の展覧会は大盛況でも、日本美術の展覧会は閑古鳥が鳴いていて、人気のない球団の観客席のようなありさまでした。

それから二〇年——状況はすっかり変わりました。本書の「序章」で述べるように、「日本美術の逆襲」とも言うべき変化が起きて、いまでは国立博物館などの日本美術の大規模な展覧会では、二時間、三時間待ち、という大行列が当たり前になっています。

なぜ、そのような変化が起こったのか。そこには、いくつかの要因があります。日本美術それ自体の素晴らしさに多くの人が気づくようになったから、というのが言うまでもない理由であり、その素晴らしさの内実は第一章以降で詳しく述べますが、ここでは社会状況の変化について解説しておきましょう。

まずは、インターネットの爆発的な普及。奇しくも、『日本美術応援団』を上梓した二〇〇〇年、京都国立博物館で「特別展覧会 没後二〇〇年 若冲」展が開催されたのですが、この展覧会が企画者の予想以上の観客を集めたのは、間違いなくインターネットによる口コミが広まったからだと思います。

それまで若冲の図版は図書館に行って大きな画集を開かなくては見られなかったのに、展覧会を観てすごいと思った若い人たちが、勝手に図録をスキャンして、ブログなどに載せる。そんな現象が起きたのです。

それ以前に一九九〇年代からの行政改革によって、国立博物館、美術館などの独立行政法人化が進められ、それまでは観客が入らなくてもかまわなかったのが、ある程度の収益を上げなくてはならなくなった、ということもあります。それと新聞社、テレビ局などの本業以外で収益を上げようという思惑が合致して、西洋美術だけではなく、日本美術でも大規模な企画展が次々と開催されるようになったのです。

さらに、二〇〇一年九月一一日のアメリカ同時多発テロによって、海外への渡航を控える風潮が蔓延したこともあって、日本人がいくぶん内向きになった、ということもあるでしょう。ともかく、世紀の変わり目あたりから、明らかに日本美術に注目する人が増えてきたことを、私自身、たしかに実感しています。

しかし、この「日本美術ブーム」とも言うべき状況が生まれてからかなりの時間が経ったいま、どれほどの人が「日本美術の底力」を実感しているのかと言えば、まだまだ心許（こころもと）ないと思います。

本書では、これから「縄文×弥生」をキーワードとして、みなさんが日本美術へアクセスするためのポイントをできるだけわかりやすく示したいと思います。雪舟（せっしゅう）、等伯（とうはく）、若冲、北斎（ほくさい）といった、すでに多くの方がよくご存じの作家ももちろん出てきますが、ほとんどの方がご存じないであろう作家、作品も多数出てきます。

『日本美術応援団』から二〇年。その間、私はさらに多くの日本美術を観て、その実感を多くの人々に伝えることに努めてきたつもりです。日本美術をとりまく社会状況は激変しましたから、「応援」の仕方もかなり変えたつもりです。

本書が、漠然と日本美術に興味を持っているけれど、なんだかモヤモヤしている人にとって、有効に機能することを祈念しています。

日本美術の底力――「縄文×弥生」で解き明かす　目次

第四章 「弥生」から日本美術を見る

日本美術には、すごい鉱脈がまだまだある！

序章　日本美術の逆襲

西洋美術から日本美術へ

日本には大小合わせて一〇〇〇を超える美術館・博物館があります。それぞれ所蔵作品の常設展示や趣向を凝らした企画展を行っていますが、近年、特に人気を集めているのが日本美術の企画展です。

テレビの美術番組で大きく取り上げられた展覧会などは、平日でも入場までの待ち時間が二~三時間ということも珍しくありません。当然、館内は大混雑。展覧会の目玉となる作品の前には人々が列をなし、ここでも辛抱の牛歩を強いられる――。こんなことは、私が日本美術史の世界に足を踏み入れた四〇年前には考えられなかったことです。

かつては海外から鳴り物入りでやってくる「西洋の名画」ばかりがもてはやされ、日本美術に対する世間一般の反応は渋いものでした。至宝ひしめく展覧会場で閑古鳥が鳴いていることも多く、誰もいない展示室で国宝の水墨画を閉館ぎりぎりまで一人占めしたこともあります。

日本の美術は「スゴイらしい」し、「海外でも人気が高い」ようだけれど、「よくワカラナイ」「どうも敷居が高くて……」と、敬遠されていたのだと思います。ところが、ミレニアムの節目、二〇〇〇年頃をターニングポイントとして、状況は一変しました。ファッションや最新カルチャーを主なコンテンツとする一般雑誌、たとえば『ブルータス』(マガジンハウス)などでもしばしば特集が組まれるようになり、大型の展覧会がテレビで取り上げられる機会も増えました。爾来(じらい)、日本美術ブームとも言うべき活況が続いています。

巻き起こった若冲パンデミック

ブームの引き金となったのは、二〇〇〇年の秋に京都国立博物館で開かれた特別展でした。江戸時代中期、京の都で円山応挙(まるやまおうきょ)に次ぐ人気を誇った絵師・伊藤若冲(いとうじゃくちゅう)の没後二〇〇年を記念した大回顧展です。

この展覧会には、国内外から一四〇点を超える作品が集められました。眩暈(めまい)がするほど精緻(せいち)な描写、大胆な構図、度肝を抜く絢爛(けんらん)豪華な色彩。めくるめく若冲ワールドは来場者の心を鷲づかみにしました。インターネットが爆発的に普及したタイミングだったこともあり、展覧会の図録からスキャンしたとおぼしき作品画像とともに、「これはタダモノではない!」という噂がネット上で一気に拡散したことで、来場者は当初の予想の三倍、約九万人を数えたのです。

京都で火がついた若冲人気に拍車をかけたのが、二〇〇六年の七月から一年がかりで全国四都市を巡回した「プライスコレクション 若冲と江戸絵画」展です。若冲コレクターとして知られる米国人、ジョー・プライス氏がエツコ夫人と二人三脚で蒐集した江戸時代絵画のなかから、選りすぐりの一〇〇点余が来日しました。最初の会場となった東京国立博物館には二カ月で三〇万人超が来展し、巡回先の京都・福岡・名古屋を含めた総入場者数は、約一〇〇万人にのぼりました。

そして迎えた二〇一六年、若冲生誕三〇〇年の節目に東京都美術館で開催された「生誕300年記念 若冲」展には、約一カ月の会期中に、なんと四五万人近くが殺到。若冲畢生の連作「動植綵絵」全三〇幅（71ページ）と「釈迦三尊像」三幅が一堂に会したこの展覧会は、入場するまでの待ち時間が最大で五時間を超え、大きなニュースになりました。

この年は、書店の美術コーナーも、テレビの美術番組も若冲一色でした。画家ゆかりの京都でも、細見美術館や相国寺承天閣美術館、京都市美術館、京都国立博物館など各所で若冲展が開かれ、話題を集めました。

日本国内のみならず、二〇一二年に米国ワシントン・ナショナル・ギャラリーで、また二〇一八年にはフランスのパリ市立プティ・パレ美術館でも若冲展が開かれ、いずれも大盛況でした。海外にも飛び火した「若冲パンデミック」は、それまで美術に縁も関心もなかった人々をも巻き込みながら、日本美術を取り巻く環境を大きく変えていったのです。

教科書が教えない凄腕絵師

二〇〇〇年以降に開かれた日本美術の展覧会を概観すると、入場者数の飛躍的な伸びに加えて、画家の名を冠した展覧会が多いことにお気づきになると思います。雪舟等楊、狩野永徳、円山応挙、葛飾北斎といったビッグネームだけではなく、曽我蕭白、長沢芦雪、鈴木其一、狩野一信、河鍋暁斎など、それまで一般の人にはほとんど知られていなかった絵師の単独展も開かれるようになりました。

キラーコンテンツとして日本美術ブームを牽引してきた若冲ですら、二〇〇〇年までは巷でその名を知る人は、ほぼ皆無でした。生前から高く評価され、それなりの人気を誇っていたにもかかわらず、没後二〇〇年展のキャッチコピーは、「若冲、こんな絵かきが日本にいた」。名前には「じゃくちゅう」と、わざわざルビが振ってあります。その頃は若冲の「冲」を「沖」と勘違いしている人もいて、「ワカオキって、誰？」という人が少なからずいたのです。

無理もありません。若冲の名も作品も、当時は日本史の教科書には載っていなかったのです。では、なぜ若冲のような独創的で魅力的な絵師たちを、教科書は取りあげてこなかったのか――。理由の一つは、日本の美術史が「流派」の歴史として編まれてきたことにあります。

狩野派や土佐派、琳派、円山四条派といった名称は、みなさんも学校の授業で学んだ記憶があるのではないでしょうか。一方、若冲や蕭白のように特定の流派に属さぬ絵師の名は、残念ながら画史から抜け落ち、次第に世間から忘れ去られていきました。

また、流派に名を連ねていても、傍流扱いをされて不遇をかこった絵師や、師のビッグネームに遮られ、評価の光を十分に受けられなかった絵師もいます。そうした「知られざる凄腕の絵師」が再発見・再評価され、脚光を浴びているのが近年の日本美術ブームの大きな特徴の一つと言えるでしょう。

なぜ、今こうした「日本美術の逆襲」とも言える現象が起こっているのか。本書では、その背景をわかりやすく解説するとともに、そこで展示されている作品を理解するための物差しを、みなさんにお届けできればと思っています。本書が、日本美術の豊かな森を散策する一助になれば幸いです。

第一章　なぜ独創的な絵師が締め出されたか

「規格外品」ばかりの展覧会

序章で「知られざる凄腕の絵師」が日本の美術史から締め出されていたと述べましたが、二〇一九年の春に東京都美術館で開かれた「奇想の系譜 江戸絵画ミラクルワールド」展は、まさにそんな彼らにスポットライトを当てた展覧会でした。

一八世紀の京画壇で活躍した若冲・蕭白・芦雪の奇想三羽ガラス、彼らよりも一世代前の岩佐又兵衛と狩野山雪、一世代のちの歌川国芳や鈴木其一、さらに職業絵師ではないものの、質・量ともにプロ絵師を驚愕させた禅僧・白隠慧鶴の計八名の代表作を結集した特別展です。

本展で取り上げた絵師たちの凄さは、専門知識がなくても、実物を観ればわかります。いずれの絵師の作品も、極めて「装飾的」で、「動的」で、「過剰」です。しかし、学校で教わる日本美術の名品は、「洗練」されていて「シンプル」、あるいは「静的」で、どちらかというと「淡白」ではなかったでしょうか。それは、端正で繊細な優美さこそが日本美術の正統とされてきたからです。

独創的な絵師たちが教科書から締め出され、世間から忘れられてしまったもう一つの理由はそこにあります。彼らの作品は、正統の枠に収まりきれない、いわば「規格外品」だったために、不当に評価を貶められたり、異端として片付けられたりしてきたのです。

「縄文」VS.「弥生」

動と静、過剰と淡白、饒舌と寡黙、あるいは飾りの美と余白の美。これらはそれぞれ「縄文」と「弥生」という日本の二大類型になぞらえることができます。

火焔型土器に代表される、装飾的で、エネルギッシュな縄文時代の造形に対し、弥生時代の土器は、調和のとれた美しいフォルムを特徴としています。抑制のきいた文様が施され、機能的にも無駄がありません。こうした弥生的な美が「日本的美」の特質であるとして、日本の美術史は語られてきました。

弥生的美を至上とする価値観は、縄文的美を軽んじ、ときにゲテモノ扱いしてきました。運悪く、そのターゲットにされてしまったものの一つに、金色や鮮やかな原色で埋め尽くされた江戸時代初期の建築、日光東照宮があります。

日光東照宮は、一六三六年に三代将軍・徳川家光が祖父・家康を神として祀るために造営した神社です。家光は五五棟ものゴージャスな社殿群を、わずか一年半という驚異的なスピードで完成させました。なかでも圧巻は、同宮のシンボルとも言える陽明門です。五

「火焰型土器」
縄文中期（紀元前3000～前2000年）／新潟県笹山遺跡出土／
新潟・十日町市博物館蔵／国宝

「弥生式土器」
弥生時代／東京都向ヶ丘貝塚出土／東京大学総合研究博物館蔵

○○を超える極彩色の彫刻でびっしりと加飾され、思わず見惚れて日が暮れるのも忘れてしまう――ということから「日暮の門」とも呼ばれています。

　デコラティブで煌びやかな東照宮は、まさに縄文的建築美の代表選手と言っていいでしょう。しかし、その評価は二〇世紀に入って急降下します。代わって称揚されたのが、東照宮と同時期に

「日光東照宮 陽明門」
1636年／栃木／国宝（提供：日光東照宮）

創建された桂離宮でした。

　桂離宮は、八条宮家初代・智仁親王が、続く智忠親王とともに親子二代でつくり上げた別荘です。優美な池泉の西側に一棟の書院、南から東にかけて四つの茶屋が配され、これらを結ぶ苑路から、深山・里山、海辺や渓谷など多彩な景趣を楽しめるつくりになっています。

　日光の東照宮と京の桂離宮は、好対照ながら、どちらも究極の美を体現した素晴らしい建築です。ところが、一九三三年に来日したドイツの建築家ブルーノ・タウト（一八八〇～一九三八）は、桂離宮の簡素な建築美を「モダニ

「桂離宮御殿群」
17世紀／京都（提供：宮内庁京都事務所）

ズム建築の造形美に通じる」と絶賛した一方で、東照宮は「権力を誇示するだけの俗悪な建築」と斬り捨てました。

残念なのは、外国人のそうした評価に追随した日本人の間に、「東照宮は修学旅行の子どもたちが見るもの」「オトナが味わうべきは桂離宮の美」という風潮や思い込みが広がってしまい、いまだ根強く残っていることです。

東照宮の社殿群に、隅から隅までびっしりと施された彫刻は、どれも驚くほど精緻です。過剰なようでいて、造形も色彩も、絶妙なバランスの上に構成されています。東照宮が四〇〇年の時を経てなお燦然と輝いているのは、定期的に修復と塗り直しが行われているからです。それによって往時の高度な職人技が現代に伝えられているということも含めて、東照宮の凄さはもっと見直されるべきだと思います。

ちなみに、東照宮から歩いて一〇分ほどのところに家光の廟所、大猷院があります。東照宮に比べるとかなり控えめですが、こちらも美しく華やかな装飾が施され、周囲に広がる深い森とのコントラストが印象的です。

侘び茶の功罪

弥生的美を「日本的美」として信奉する風潮を助長したのは、「侘び寂び」という言葉ではないかと思います。

侘び寂びの美意識を具現した茶の湯は、世界に誇る日本文化の一つと喧伝されてきました。しかし、侘び茶を大成した千利休本人は、「自分が死ねば茶の湯は廃れる」と言い残しています。その頃からすでに俗化・形式化しはじめていた茶の湯は、彼が憂えた通り、侘び寂びの本質からどんどん遠ざかっていきました。

たしかに日本人は、飾りや無駄を極限まで削ぎ落とし、不完全なものや、何もないところにも美しさを見出す感性を備えています。しかし、侘びたるものに美を感じるのは、もう一方に加飾を謳歌する文化・美意識があるからこそ。利休の侘び茶は、絢爛豪華な桃山の時代だからこそ成立し得たものであり、実は相当に過激な思想のもとに体現されたものなのです。

たとえば利休は、黄金の茶室を造った豊臣秀吉を、わずか二畳の薄暗い庵に招き、漆黒の茶碗で茶を献じました（141ページ）。これは、無類の派手好きだった天下人をギョッとさせるための、いわばコンセプチュアル・アートです。茶室は環境芸術であり、茶道はパフォーマンス・アートでもありました。二〇世紀の現代美術がやっていることを、彼は四〇〇年前にすべてやっていたのです。

利休が凄いのは、単に弥生的な侘び茶を大成したからではなく、縄文的なものも視野に入れて両者を俯瞰した上で、究極のコンセプチュアル・アートを、文字通り「命懸け」で体現したところにあります。詳しくは第三章および第四章に譲りますが、利休が秀吉に長谷川等伯を引き合わせたのも、この二人が縄文的なエネルギーを漲らせた成り上がり者だと熟知していたからでしょう。利休の読み通り、等伯は秀吉に重用され、極めて縄文的な金碧障壁画にその才を発揮しました。

その等伯に、中国南宋代の画聖・牧谿の「観音猿鶴図」(大徳寺蔵／国宝)を見せたのも、おそらくは利休の仕業に違いありません。等伯がもともと持っていた資質とは正反対のものを描かせてみようとしたのでしょう。そして、そこから生まれたのが、水墨画の国宝「松林図屏風」(136ページ)なのです。

日本美術の「発見者」たち

日本美術には、途方もなく長い歴史があります。しかし、日本に美術史学が確立したのは明治時代のことです。そもそも「美術」という言葉は、ほかの多くの学問用語と同様、明治になって西洋から輸入されたもので、ウィーン万国博覧会への出品を呼びかける一八七三年の太政官布告に、ドイツ語からの訳語として初めて用いられたと指摘されています。

産業も、学問も、「西洋に追いつけ、追い越せ」をスローガンとしていた時代です。アカデミックな美術史学者は、上品で技巧にあふれた弥生的作品を「西洋にも誇りうるもの」として研究の対象とし、縄文的な作品や画家をバッサリと切り捨てていきました。

戦後、そこに痛烈な一撃を加えたのが、前衛芸術家の岡本太郎(一九一一〜九六)でした。

終戦から六年、東京国立博物館の展示室で縄文土器と衝撃的な出合いを果たした彼は、このダイナミックな造形こそが日本の美の源泉であるとする「縄文土器論」(『みづゑ』一九五二年二月号、美術出版社)を発表し、弥生的な美に偏向・執着してきたアカデミズムに大きなインパクトを与えました。

岡本太郎による縄文美の「発見」は、「日本美術の伝統を平面的、情緒的なものと決めてかかり、そのことにあきたらなく思っていた建築家や美術家に、目の鱗の落ちる思いをさせた」。そう述懐するのは、学生時代にリアルタイムでこの論文を読んだ、美術史家の辻惟雄先生、私の恩師です。

当時二〇歳だった辻青年は、その後、蕭白の大作「群仙図屏風」(80ページ)と出合い、これをひとつのきっかけとして、江戸時代の絵師に関する画期的な論稿を、雑誌『美術手帖』(美術出版社)に連載します。私が企画・監修した先述の「奇想の系譜 江戸絵画ミラクルワールド」展へとつながる、「奇想の系譜――江戸のアヴァンギャルド」です。

この連載は、一九七〇年、奇しくも岡本太郎が大バッシングを浴びながら大阪の万博会場に「太陽の塔」(171ページ)を完成させた年に同じ名前で単行本化され、三〇年におよぶ長い潜伏期間を経て、近年の日本美術ブームをもたらした、時限爆弾のような論考でした。

潜伏期間と表現したのは、長らく絶版状態が続いていたからです。一九八八年に別の出版社から再版されましたが、文庫化（『奇想の系譜――又兵衛―国芳』、ちくま学芸文庫）されたのは若冲が大ブレイクした後の二〇〇四年です。ようやく社会がこの名著の真価に気づいたのでしょう。文庫版は二三刷を数えるロングセラーとなって今に至ります。

辻先生が『奇想の系譜』で取り上げた絵師たちは、日本美術史の大枠を決定した一九〇一年刊行の『稿本日本帝国美術略史』にも登場します。しかし、その評価は概して低く、とりわけ蕭白については「殆ど奇に過ぎて妖怪に類せり」と酷評しています。

蕭白と同時代に活躍した芦雪についても「応挙の弟子」という扱いにとどまり、その奔放自在な画才の全貌をとらえるに至っていません。辻先生は、日本美術史の深海に沈潜していた彼らを正史に編みこむべく「奇想」という新たな系譜を提示し、その異才と革新性を世に知らしめたのです。

片側だけでは本質はわからない

縄文の造形に日本独自の美を発見した岡本太郎。これに刺激を受け、江戸時代の奇想という豊かな水脈を掘り当てた辻先生。こうした発見や再評価の積み重ねによって、かつて

「流派史の寄せ集めに過ぎない平板で無機的な編成」と先生が嘆いた日本美術史は、少しずつ、しかし確実に書き換えられてきました。

最初の『奇想の系譜』出版から三五年後、執筆の契機となった「群仙図屏風」は国によって買い上げられ、重要文化財に指定されました。奇想の系譜を国やアカデミズムがようやく認知したということです。

固定化した価値観や、研究者の縄張り意識によって歪曲された歴史観を書き換えていくのは容易ならざることです。しかし、私たちの眼前には、長い年月を経て今に伝わる数多の作品が「モノ」として存在しています。こうしたモノが放つオーラと真摯に向き合う研究者が増えていけば、日本の美術史は今後さらにアップデートされていくでしょう。

岡本太郎は、「肝心なのは我々の側なのであって、見られる遺物のほうではない」と指摘しています。これは美術史の研究者のみならず、一般の方が展覧会を楽しむ時にも大切なことではないでしょうか。

幸い、縄文的美の復権は、かなり進みました。しかしそのせいか、今度はどうも縄文ばかりが注目を集めて、弥生が割を食っている気もします。実は、それはそれで困ったことです。なぜなら、後で述べるように縄文と弥生の「ハイブリッド」であることが日本美術の特質であり、その振れ幅が広いところに日本美術の豊かさがあるからです。

多くの人を日本美術から遠ざけてきた「よくワカラナイ」の壁は、日本美術が長らく弥生の側からのみ語られてきたところに一因があるように思います。ということは、同様に縄文の側からのみ見ていても、日本美術は結局のところ「よくワカラナイ」のです。

桃山の絢爛豪華な世界があるからこそ、利休の侘び茶が際立ったように、また、等伯が縄文と弥生の両極で傑作を生み出したように、日本美術の真価や魅力は両端を俯瞰することで初めて立体的に浮かび上がってきます。

古い教科書を引っ張り出し、眉間に皺を寄せながら復習する必要はありません。本書には、日本の歴史や美術が「よくワカラナイ」という人にとっても魅力的な「モノ」を、ビジュアルとして多数収録しました。

「縄文」と「弥生」という切り口は、それらの全体像を直感的に理解し、より身近なものとして感じるための導きになるはずです。そのことを、次章で詳しく説明することとしましょう。

第二章 「ジャパン・オリジナル」の源流を探る

世界最古の造形

「縄文」とは、弥生時代に先んじる一万数千年を指す時代区分です。その始まりは、紀元前一万三〇〇〇年頃とされています。弥生時代が八〇〇年ほどで古墳時代にバトンを渡していることを考えると、縄文という区分がいかに長く、大きな括(くく)りであるか、おわかりいただけると思います。

縄文草創期の土器は、世界中で出土している土器のなかでも最古のものです。縄文土器と聞いて、誰もが真っ先に思い浮かべるのは、おそらく火焔型土器でしょう。つくられたのは縄文中期、だいたい紀元前三〇〇〇〜前二〇〇〇年頃です。世界広しと言えども、これに比類する造形はどこにもありません。

弥生時代以降、日本はユーラシア大陸から流入する文物(ぶんぶつ)を受け入れ、それを熟成させながら文化を形成してきました。しかし縄文の造形は、まだ大陸との交流がほとんどなく、外界と隔絶したなかで生み出されたものです。つまり、縄文の造形こそ、紛(まご)うことなき「ジャパン・オリジナル」だということです。

もちろん一口に縄文土器と言っても、つくられた時期や地域によって、その形は千差万別です。仰天するような造形が、今も続々と出土しています。「縄文」と総称されてはいるものの、縄目が模様として施されているものはごく一部で、紐状の粘土を複雑にめぐらせた隆線紋土器もあれば、おどけて手を振るようなポーズをとる人を胴部にレリーフしたものもあります。

「人体文様付有孔鍔付土器」
縄文中期（紀元前3000～前2000年）／山梨県鋳物師屋遺跡出土／山梨・南アルプス市教育委員会蔵／重要文化財

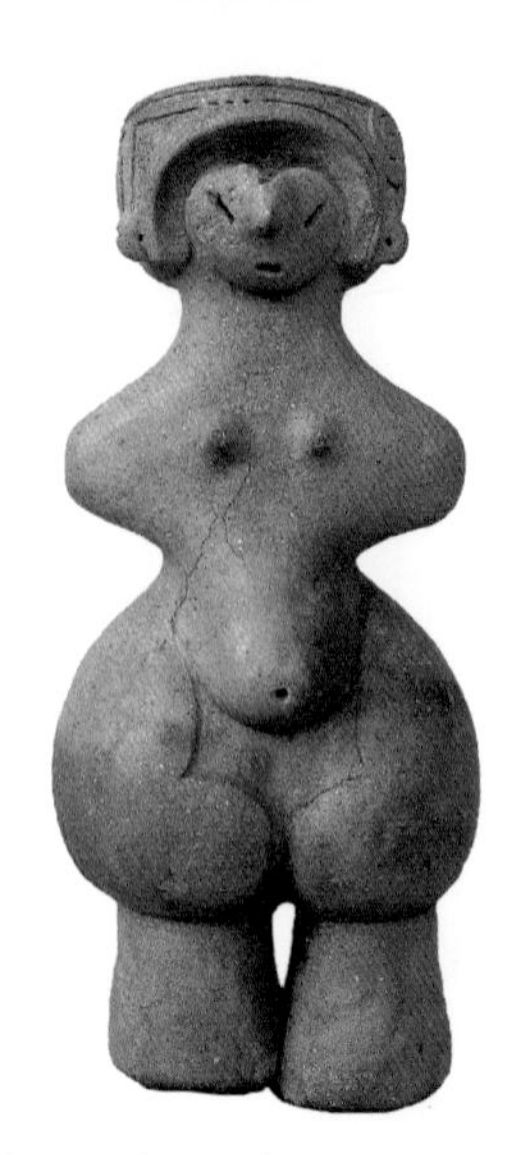

「縄文のビーナス」
縄文中期（紀元前3000～前2000年）／長野県棚畑遺跡出土／長野・茅野市蔵（©茅野市尖石縄文考古館）／国宝

「縄文の女神」
縄文中期（紀元前3000～前2000年）／山形県西ノ前遺跡出土／山形県立博物館蔵／国宝

造形の幅の広さは、先史時代に世界中でつくられた土器のなかでも傑出しています。この多様性も、縄文の造形の特筆すべき点の一つと言えるでしょう。

国宝に指定すべき縄文土器たち

縄文の土偶は、長野県茅野(ちの)市の棚畑(たなばたけ)遺跡から出土した「縄文のビーナス」が一九九五年に国宝指定されたのを皮切りに、計五体が相次いで国宝に指定されました。しかし土器のほうは、いまだ一件のみです。

一九八〇年代の発掘調査で新

「仮面の女神」
縄文後期（紀元前2000～前1000年）／長野県中ッ原遺跡出土／長野・茅野市蔵（©茅野市尖石縄文考古館）／国宝

「合掌土偶」
縄文後期（紀元前2000～前1000年）／青森県風張1遺跡出土／青森・八戸市蔵（©八戸市埋蔵文化財センター是川縄文館）／国宝

「中空土偶」
縄文後期（紀元前2000～前1000年）／北海道著保内野遺跡出土／北海道・函館市蔵／国宝

「深鉢形土器」
縄文中期(紀元前3000〜前2000年)/山梨県安道寺遺跡出土/山梨県立考古博物館蔵(撮影:小川忠博)

「深鉢形土器」
縄文中期(紀元前3000〜前2000年)/山梨県殿林遺跡出土/山梨県立考古博物館蔵/重要文化財(撮影:小川忠博)

「焼町土器」
縄文中期（紀元前3000～前2000年）／群馬県道訓前遺跡出土／群馬・渋川市教育委員会蔵／重要文化財

潟県十日町市の笹山遺跡から出土した深鉢形の土器五七点（うち一四点が火焰型土器）が、一九九九年に一括して国宝指定を受けたきりです（22ページ）。ほかにも国宝に値する素晴らしい縄文土器はいくつもあるのに、もう二〇年も指定の沙汰はありません。

では、単体で国宝に指定すべき縄文土器はどれか――。次なる国宝として、私がかねて注目しているのは山梨県・殿林遺跡出土の深鉢形土器です。

一つと言わず、「三点くらい一挙に！」ということであれば、同じく山梨県下の安道寺遺跡から出土した深鉢形土器と、群馬県・道訓前遺跡出土の焼町土器の二つを迷わず推します。いずれも縄文独特のうねるようなモチーフを、リズミカルかつエレガントな調和のうちに表現していて、実に見事。同じ縄文土器でも、激情ほとばしる火焔型とはまったく異なる造形です。

土を捏ねる逞しい手や、装飾を施す指先の動きまでありありと想像させる土器の肌、驚くほど複雑な紋様のディテール、そして立体的な迫力。ここに掲載した小さな写真では十分伝えられないのが残念でなりません。

なぜ「ジャパン・オリジナル」が国宝にならないか

火焔型土器が初めて発見されたのは、一九三六年。出土地は、新潟県長岡市の信濃川流域に位置する馬高遺跡でした。国宝に指定されたのは、その半世紀後に近隣の別の遺跡から出土したもので、出土から国宝指定まで、さらに一〇年以上の年月を要しています。

世界最古にして真に「ジャパン・オリジナル」な造形であるにもかかわらず、なかなか国宝として認められなかったのはなぜか——。地中から忽然と姿を現わした、あまりに特異な造形に戸惑ったということもあるでしょう。温暖な土地で穏やかに暮らしていたとされる縄文人が、これほど荒々しく、複雑怪奇な装飾に執心していたということが解せなかったのかもしれません。理解不能なものを評価するのは至難です。研究サンプルが少なかった戦前は出土品の数も今とは比べものにならないほど少なく、研究サンプルが少なかったことも評価が遅れた一因と考えられます。

そもそも、日本で先史時代の遺物に関する研究が始まったのは明治時代のことです。東京大学に招かれたエドワード・S・モース(一八三八〜一九二五)が、一八七七年に大森貝塚を発見。日本初の発掘調査が行われました。ここで見つかった土器を、モースは「Cord Marked Pottery」と表現しました。直訳すると、紐の模様がついた土器。そこから「索紋」「縄紋」などの訳を経て、落着したのが「縄文」という呼称です。

しかも、この縄文という概念や時代区分が定着したのは、実は終戦を迎えて以降のことです。今は縄文時代も弥生時代も、日本史の授業で当たり前のように教わります。しかし、『古事記』や『日本書紀』に基づく戦前の歴史観では、古墳時代より前は、いわば「神話」の時代。その時代の遺物として出土したものは、先住民族の手によるもので、天孫降臨に起源する大和民族の作ではありえない――ということになります。

こうした様々な事情から、戦前のアカデミズムは縄文の造形を「ジャパン・オリジナル」と認知できなかったのでしょう。先述の『稿本日本帝国美術略史』の記述も、古墳の出土品から始まっています。

さらに言えば、戦前までの日本美術に関する書物は、ほとんどが六世紀の仏教伝来から説き起こしています。戦前の美術史学者が日本美の頂点としたのは、仏教伝来以降の、洗練された王朝美術でした。縄文土器は低次元の工芸品であり、優美を旨(むね)とする日本美術の文脈で語る価値はないと考えられていたのです。

岡本太郎が巻き起こした一大センセーション

長らく考古学的な研究の対象に留まっていた縄文土器を美術史に位置づける試みが始まったのは、戦後も一九五〇年代以降のことです。その端緒を開いたのが、先に述べた前衛芸術家・岡本太郎の「縄文土器論」でした。

今はなき美術雑誌『みづゑ』一九五二年二月号の巻頭を飾った太郎の論稿は、それまで誰も目に留めなかった縄文の美と凄みを絶賛し、一大センセーションを巻き起こしました。その筆致は、まさに檄文(げきぶん)と言っていいでしょう。

> 縄文土器の荒々しい、不協和な形態、紋様に心構えなしにふれると、誰でもがドキ

ッとする。なかんずく爛熟した中期の土器の凄まじさは言語を絶するのである。激しく追いかぶさり重り合って、隆起し、下降し、旋廻する隆線紋。これでもかこれでもかと執拗に迫る緊張感。しかも純粋に透った神経の鋭さ。常々芸術の本質として超自然的激越を主張する私でさえ、思わず叫びたくなる凄みである。

縄文土器の最も大きな特徴である隆線紋は、激しく、鈍く、縦横に奔放に躍動し展開する。その線をたどって行くと、もつれては解け、渾沌に沈み、忽然と現れ、あらゆるアクシデントをくぐり抜けて、無限に回帰し逃れて行く。（中略）更に、異様な衝撃を感じさせるのはその形態全体の到底信じることも出来ないようなアシンメトリーである。それは破調であり、ダイナミスムである。その表情は常に限界を突き破る。

縄文の美を「発見」した著者の興奮と洞察の鋭さが、ヒシヒシと伝わってきます。檄文の締めくくりとして掲載された写真も、当時の読者に大きなインパクトを与えました。全面漆黒のページに浮かび上がる火焔型土器は、太郎が「ギリギリッと撮ってくれ」と注文して撮らせた一枚です。

彼は、編集部から派遣されたプロの写真家が撮る、全体に品よく調ったカットが気に入らず、散々クレームをつけたそうです。それでも出来上がりに満足できなかったのか、著書『日本の伝統』(光文社、一九五六)には、自ら撮った写真を載せています。

岡本太郎と縄文

この衝撃的な縄文讃歌は、いかにして生まれたのか——。岡本太郎の生年は、一九一一年。父は、大正から昭和初期にかけて一世を風靡した漫画家の岡本一平、母・かの子は歌人・小説家でした。芸術一家に生まれた太郎は、一九歳の時に東京美術学校(現・東京藝術大学)を休学して渡仏し、およそ一〇年をパリで過ごしています。

パリでは前衛芸術運動の只中に身を置き、抽象主義とシュルレアリスムの狭間で苦闘しつつ、独自の作品世界を確立していきました。思想家のジョルジュ・バタイユ(一八九七〜一九六二)、文化人類学者のマルセル・モース(一八七二〜一九五〇)など、第一線の学者との出会いも果たしましたが、一九四〇年、ドイツ軍がパリに侵攻する直前に帰国。その後、徴兵されて、足かけ五年に渡り中国戦線で苛酷な軍隊生活を送ることになります。

召集されるまでのわずかな期間ですが、彼は奈良・京都を訪れています。独自の芸術を打ち立てるには、自らの基礎となる日本文化をしかと見ておく必要があると考えたのでしょう。しかし、そこで目にしたものは、まるで期待外れなものでした。その時の失望を、「縄文土器論」のなかで、「文化、伝統などというレッテルの貼られた全てがひどく卑弱であり、陰質であるのに憮然（ぶぜん）とせずにはいられなかった」と回想しています。

復員後は、エンジン全開で日本の前衛芸術を牽引しましたが、そのなかで、運命的に出合ったのが縄文土器でした。東京国立博物館を訪ねた彼は、何の予備知識もなく、まるでぶつかるように縄文の造形を目にし、「血の中に力がふき起るのを覚えた」と綴（つづ）っています。

「我国の土壌の中にも掘り下げるべき文化の層が深みにひそんでいる」――。そう直観した太郎は凄まじい勢いで全国の大学・研究所が所蔵する縄文土器を見て回り、瞬（また）く間に「縄文土器論」を書き上げたのです。

――そびえ立つような隆起がある。鈍く、肉太に走る隆線紋をたどりながら視線を移して行くと、それがぎりぎりっと舞上り渦巻く。突然降下し、右左にぬくぬく二度三度くねり、更に垂直に落下する。途端に、まるで思いもかけぬ角度で上向き、異様な弧を描きながら這い昇る。不均衡に高々と面をえぐり切り込んで、また平然ともとのコースに戻る。（中略）しかもそれだけではない。更にこの紋様をつなぐ横線をたどって行くと、突然、鍾乳石がねじくり曲って垂れ下って来たような突拍子もない把手状の装飾にぶつかる。土器全体の大きさ、重さに対して、把手にしては不釣合に小さい。だが、ただの装飾にしてはまた全く不調和な大きさで飛出している。しかも既にその隙間からは、重り合って奇怪なシルエットがのぞき込んでいるではないか。上縁にはにょきにょきした凸起が、怪獣の角のように、不気味に交錯する――。

どうです、この迫真の描写！　さらに太郎は、縄文土器の「反美学的な、無意味な、しかも観る者の意識を根底からすくい上げて顚動させるとてつもない美学が、世界の美術史を通じて嘗て見られたであろうか」と、読者に投げかけています。

しかし、当時のアカデミックな美術史家の多くは、これを一笑に付し、黙殺しました。「縄文土器論」に込められた、とてつもなく深いメッセージに感応したのは、むしろ建築やデザインなどの分野で先鋭的な仕事をしていた人々や、のちに日本美術史を書き換えていくことになる学生たちでした。

岡本太郎の檄文は彼らを突き動かし、さらには市井（しせい）の論客を巻き込みながら、偏狭に凝り固まっていた日本文化論に決定的な楔（くさび）を打ち込むこととなったのです。

縄文的原型と弥生的原型

弥生時代に入ると、大陸から流入する文物の影響を受けて、土器の姿はガラリと変わります。生地は薄く、硬質に、装飾は抑えられ、フォルムはシンプルになりました。もちろん、これら弥生の土器には弥生なりの美しさがあり、日用の道具としての性能も縄文時代に比べると格段にアップしています。

しかし、観る人をギョッと驚かせるような縄文的な想像力のマグマは急速に影を潜めていきました。その例外が、熊本県山鹿（やまが）市の「チブサン古墳」に代表される、九州・筑後川（ちくごがわ）流域の装飾古墳群でしょう。チブサン古墳の石棺の内壁は、大胆かつカラフルな幾何学文様で埋め尽くされています。その造形センスと旺盛な装飾意欲は、縄文の血を継ぐものと言って間違いありません。

これとは対照的に、大陸から入ってきたスタイルとレベルを完璧に踏襲（とうしゅう）しているのが、

「チブサン古墳石室」
6世紀／熊本県チブサン古墳出土／熊本・山鹿市立博物館（提供：山鹿市教育委員会）

一九七二年に奈良県明日香（あすか）村で発見された「高松塚古墳（たかまつづかこふん）」の壁画です。石室の壁二面に計一六人が描かれていますが、色とりどりの装束をまとった女性たちの面貌は、明らかに唐美人です。発見当時、「日本にもこんなに進んだ文化があった！」とセンセーショナルな報道がなされ、世間も大騒ぎしましたが、岡本太郎はこれを「手先だけの職人芸」と酷評し、「九州の装飾古墳のほうが、よっぽど

「高松塚古墳石室壁画 西壁女子群像」
7世紀末〜8世紀初め／奈良県高松塚古墳、国（文部科学省所管）／国宝

凄い」と反駁しました。

彼は、縄文土器の「たくましくみなぎる生命感がとつぜんに絶えて、次代の弥生式から埴輪をとおって流れる、平板な、いわゆる『日本式』伝統と交代してしまった」と嘆いていますが、どっこい縄文は日本人のなかに生き続けた――。そう指摘して、「日本の美の系譜を統一的に把握する」視座を提示したのが、詩人として著名な谷川俊太郎さんの父、哲学者の谷川徹三（一八九五～一九八九）です。

彼は、一九六九年に論文「縄文的原型と弥生的原型」（『世界』九月号、岩波書店）を発表しましたが、そのなかで縄文と弥生、両時代の土器に示されている美の形を「日本の美の原型」と捉え、次のように考察しています。

「両者にははっきりした美の質のちがい」があるものの、どちらも「仏教渡来以前のもので、民族的感覚や形式意志の素朴で純乎たる表現」であり、二つの原型は「日本文化の性格を形づくる核」である。そして、それは現代に至る「日本の美の系譜の中にずっと跡づけ得られ、今もなお大きな意味をもっている」と。

さらに彼は、それぞれの時代の造形的特徴と両者の違いを次のように綴っています。

縄文土器はその多様な形と自由な装飾性とともに、どこかに暗い不安を秘めた怪奇な力強さを特色としています。そこには火焔土器と呼ばれている一類のように、渦巻いている幻想や、情念の焰をあげているのが見られるようなものもあり、その性質は同時代の土偶において一層際立っています。それに反して弥生土器は、強烈なものや怪奇なものをいささかも持っていません。それは器物の機能を素直に生かした安定した形の中に、明るく、やさしく、親しみ深い美しさを感じさせます。この時代にすぐ続く古墳時代の人物や動物の埴輪を、縄文の土偶に比べれば、この両者の対照は一層はっきりするでしょう。

その上で、縄文的原型を構成する要素として「動的」「有機的」「怪奇的」「装飾性」を挙げ、対する弥生的原型は、「静的」「無機的」「優美」「機能性」によって構成されていると分析するのです。

弥生の地層の下に縄文の伏流水がある

「縄文的原型」と「弥生的原型」という分け方は、いまだ有効だと思いますし、日本美術の根源を考える上で大きな示唆を私たちに与えてくれます。

つまり、これまで述べてきたように、日本の美術史は、長らく「弥生」の側からのみ語られてきました。たしかに弥生以来、日本の造形は外来の異文化を取り込みながら独自の発展を遂げてきました。

仏教が伝来した飛鳥時代から奈良時代にかけて、大陸スタイルを丸ごとコピーしたような、均整のとれた仏像がつくられたのはその好例でしょう。手本と仰ぐ文物を、驚くべき勤勉さで模し、その技を徹底的に吸収したのです。「高松塚古墳」の壁画も、この時代に遣唐使が大陸からもたらした文化を完璧に再現した一級品です。

ですが、こうした弥生の地層に覆われた真下に、縄文の豊かな伏流水が脈々と流れていることも忘れてはいけない、ということです。しかもその伏流水は、次章で見るように、間欠泉のように度々噴き出しました。正系とは異質の、エネルギーに満ちた「美しい奇形」とも言うべき造形。私には、それが弥生的なものに抑え込まれてきた反動のように思えます。

岡本太郎が縄文の美を発見してから、国立博物館が縄文の真価を認めるまでに半世紀以上かかりましたが、二〇一八年の夏、その果実とも言うべき「縄文――1万年の美の鼓動」

展が東京国立博物館で開催されました。

史上最大規模にして、縄文の国宝六件すべてが集結した初めての展覧会です。展覧会のクライマックスとなる最後の一室には、岡本太郎が「縄文土器論」を著すきっかけとなった土器が、太郎が自ら撮影した写真とともに展示されていました。太郎の檄文に挑発されて縄文土器を見つめてきた私は、この構成に喝采(かっさい)しました。日本美術の根源を見つめる上で、最高の展覧会だったと思います。

縄文の価値が認められ始めたことと、若冲に始まる日本美術ブームの時期が重なっているのは決して偶然ではありません。たとえば、縄文の造形において重要な表現に「穴」があります。目や口、鼻、耳など、人間の体に開いている、たくさんの「穴」。それは外と内との結界であり、外なるものを内に取り入れる扉でもある。

若冲の絵にもそんな「穴」の表現が随所に見られます。「動植綵絵」(71ページ)は、その好例でしょう。病葉(わくらば)の穴をはじめ、雪が積もったところに穴が穿(うが)たれたり、紅葉の枝がループを描いて穴になっていたり。あるいは、北斎の版画にも、岡本太郎の油絵にも——。

いや、ここから先は、具体的な作品を見ながらお話しすることにしましょう。若冲に代表される縄文的な日本美術の系譜を、ぜひ実際に見ながらたどっていければと思います。

第三章 「縄文」から日本美術を見る

忽然と現れた異色のやまと絵

縄文的な美の噴出は、平安初期や室町・桃山時代に顕著に見られますが、最高潮に達するのは江戸時代です。噴出環境が整っていたのは、江戸ではなく、京都でした。岩佐又兵衛や狩野山雪が先陣を切って縄文のマグマを爆発させ、その後、白隠という起爆剤を得て、伊藤若冲や曽我蕭白がこれに続きます。

江戸時代も後期になると、噴出の舞台は京都から江戸へと移り、そこに葛飾北斎、歌川国芳、鈴木其一、狩野一信といった異才が登場。彼らは西洋の絵画・画法という爆弾級の刺激に触発され、エネルギッシュな奇想の表現を生み出していきました。

縄文的美の系譜は、幕末・明治の工芸や戦後の前衛美術にも認められます。ここでは縄文エネルギーの炸裂ぶりが特に際立つ一九の作品を取り上げ、その魅力と見所を紹介したいと思います。トップバッターは、室町時代の野蛮(!)なやまと絵屏風です。

「日月山水図屏風」(じつげつさんすいずびょうぶ)は、展覧会に出品されることは滅多にないので、初めて目にする方も多いと思いますが、腕の確かな画家による、これほど野性味にあふれた屏風は類例がありません。

描かれたのは室町時代です。多くの人は室町時代と言えば水墨画――と、学校で教わったのではないでしょうか。中国の南宋時代のスタイルに学んだ静謐な山水画が描き継がれ、のちに長谷川等伯の「松林図屏風」(136ページ)などが続いた時代にあって、これは極めて異色の作品です。

ジャンルとしては、日本の風物を屏風や絵巻物に仕立てた「やまと絵」。しかし、この絵が発する野性的オーラは、土佐派をはじめとする当時のやまと絵にはないものです。落款がなく、筆者は不明。同じ筆者の手によると思われる作品も、いまだ見つかっていません。あまりに作風が独特で、属する流派・系統を類推させる手がかりすらない孤立した作品ですが、美術史家の間では、一五〜一六世紀やまと絵屏風の最高峰の一つとして揺ぎない評価を与えられてきました。

写真ではわかりにくいかもしれませんが、右隻には金箔の太陽、左隻には銀箔の月が見えます。右隻の右側に桜咲く春の山、その左に緑輝く夏の山。その裾野から画面の下を通って左隻へと目を移すと、松林が踊る州浜の先に、紅葉した秋の山が金色の雲を頂き、その右には雪化粧した冬の山があります。太陽や月の巡り、山景に見る四季の移ろいを六曲一双の大画面のなかに、ぐるりと円環状に描いたダイナミックな構図も刮目すべきポイントです。

中世の日本人の宇宙観を映した、素晴らしい屏風だと思いませんか？　なのに、なぜこれが国宝ではないのか。「ぜひとも国宝に！」と、私は言い続けてきました。二〇一七年の九月から一年に渡り、小学館の『週刊ニッポンの国宝100』誌上に連載した「未来の国宝・MY国宝」（二〇一九年に同社より単行本化）でも、全五〇回の初回でこの作品を取り上げています。

作者不明「日月山水図屏風」(右隻)
15世紀後半〜16世紀前半/紙本着色・六曲一双/大阪・金剛寺蔵/国宝

これこそ「未来の国宝」の一番手と考えていたからです。

すると二〇一八年、ちょうど連載が完結した時に国宝指定が決定(国宝としての正式名称は、「紙本着色（しほんちゃくしょく）日月四季山水図六曲屏風」)。作者不詳の作品は国宝になりにくいというジンクスを破っての快挙でした。

ちなみに、断トツで国宝指定作品が多い絵師は雪舟等楊で六点。次いで

多いのが狩野永徳、俵屋宗達、尾形光琳の三人で、それぞれ三点が国宝に指定されています。

　このうち宗達は、桃山時代から江戸初期にかけて活躍した絵師で、伝記不明ですが、京都の上層町衆の出と推測されています。やまと絵に基づく斬新な作風を生み出し、「たらし込み」という技法を活かした水墨画も秀逸です。その作風に傾倒し、宗達に私淑したの

作者不明「日月山水図屏風」（左隻）
15世紀後半～16世紀前半／紙本着色・六曲一双／大阪・金剛寺蔵／国宝

が、さらに一世紀のちの光琳で、そこに、いわゆる「琳派」が形成されたことから、宗達は琳派の祖とも言われています。

　国宝に指定されている宗達作品は、「風神雷神図屏風」「蓮池水禽図」「源氏物語関屋澪標図屏風」の三点ですが、かつて祥雲寺に伝来し、現在は米国フリーア美術館蔵となっている六曲一双の「松島図屏風」も、日本にあれば国宝に指定されたであろう作品です。

非常識な構図、州浜とも雲ともつかないモチーフの奇形。つくづくヘンな絵だと思いますが、その「乱暴力」こそ、宗達の真骨頂でしょう。画面からほとばしるエネルギーとセンスは、先の「日月山水図屛風」を彷彿とさせます。春山を描いた右隻の右二扇の下半分を切り取ってクローズアップすると、宗達の「松島図屛風」に似ていて、縄文の伏流水が脈々と受け継がれている様子が感じられます。

都の狂騒を活写した極彩色屛風

次の作品は、岩佐又兵衛(一五七八〜一六五〇)の「洛中洛外図屛風(らくちゅうらくがいず)」です。金雲たなびく京の都に、ぎっしりと描かれた、総勢二七〇〇を超える人、人、人――。公家に武士、僧侶に庶民、南蛮人の扮装をした人の姿も見えます。花見帰りの一行が五条大橋(ごじょうおおはし)で浮かれ踊っているかと思えば、目抜き通りには夏の風物詩である祇園祭(ぎおんまつり)の賑わいがあり、京都御所では正月節会(せちえ)の舞が奉納されています。

「洛中洛外図屛風」の驚くべきところは、その緻密さと、ライブ感です。市中には人形浄瑠璃(じょうるり)を楽しむ観客の姿があり、その演目までわかります。よからぬことをやっている輩もチラホラ。泥酔して両脇を抱えられている人、調子に乗って女に抱きつく男、男を誘惑する二人組の女も、それぞれに表情豊かで、装束描写も見事です。食事の支度をする日常の暮らしぶりから、遊郭のなかまで仔細に描いた大画面からは、享楽的な都の喧騒が生き生きと伝わってきます。

岩佐又兵衛は、俵屋宗達と並ぶ、江戸初期を代表する個性的な絵師です。豊臣秀吉に重用された狩野内膳に絵を学んだという説もありますが、狩野派のみならず、土佐派、海北派から、中国・南宋代の牧谿や梁楷の作風に倣った水墨画まで、和漢双方の高度な画技を完璧に習得した凄腕で、江戸時代に活躍した奇想の絵師のなかでも、画技の幅広さは群を抜いています。

古典的な画題でエレガントな作品も描いていますが、この「洛中洛外図屛風」の闊達で過剰な筆致は、まさしく縄文の系譜に連なるもの。どんな絵も自在に描けたのに、上品な弥生の系譜を逸脱していった背景には、生い立ちの事情もあるように思います。

又兵衛は、織田信長に一族を惨殺された戦国武将、荒木村重の子です。まだ二歳だった彼は奇跡的に難を逃れ、京の寺にかくまわれたのち、母方の岩佐姓を名乗って絵師となりました。

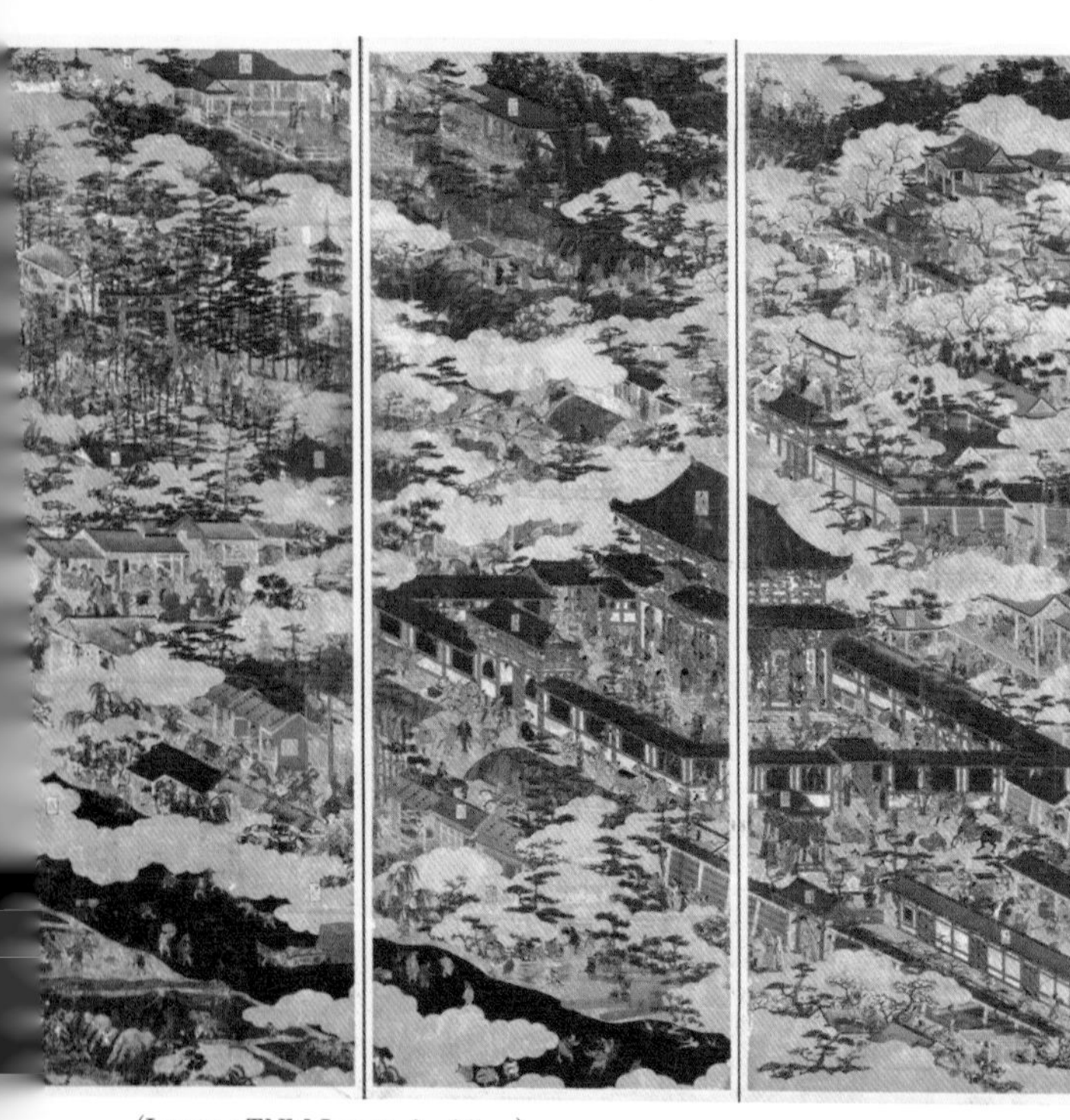

(Image : TNM Image Archives)

又兵衛は、当時人気のあった人形浄瑠璃を絵巻にした作品も残しています。なかでも必見は、全一二巻・計一五〇メートルにも及ぶ「山中常盤物語絵巻」です。無念の死を遂げた常盤御前に、信長に殺された母の姿を重ねていたのでしょう。第四巻のクライマックス、常盤殺しのシーン（68ページ）は血の描写もリアルで、かなり凄惨ですが、妖艶で官能的な美し

岩佐又兵衛「洛中洛外図屏風（舟木本）」（右隻）
1614～16年／紙本金地着色・六曲一双／東京国立博物館蔵／国宝

さがあります。

　ともあれ、そこはかとなく漂う独特の「妖（あや）シズム」。これこそが、又兵衛作品の最大の魅力であり、真骨頂です。京の街並みや風俗を映した屏風絵はほかにもたくさんありますが、又兵衛ほど緻密かつエネルギッシュに描いた人はいません。

　洛中洛外図で最も有名なのは、日本美術界のエリート・狩野永徳の手による作品でしょう。「上（うえ）

(Image : TNM Image Archives)

杉本」(米沢市上杉博物館蔵)と通称される永徳作品と区別するため、滋賀の舟木家に伝来した又兵衛作品は「舟木本」と呼ばれ、数多ある洛中洛外図のなかで、この二作だけが国宝に指定されています。

画風・筆致はもちろんですが、この国宝二作は構図が大きく異なります。永徳の「上杉本」は、右隻に下京・東山方面を西側から俯瞰して描き、

岩佐又兵衛「洛中洛外図屏風（舟木本）」（左隻）
1614～16年／紙本金地着色・六曲一双／東京国立博物館蔵／国宝

左隻は上京・西山を東側から眺望しています。対する「舟木本」は、左右両隻とも京の都を南側から地続きで描いている。「上杉本」は王の視点、「舟木本」は庶民の視点で描かれていると指摘する研究者もいるように、「上杉本」よりも庶民の姿を多く、かなりクローズアップして描いているのも「舟木本」の特徴の一つです。

弓なりにしなるような

岩佐又兵衛「山中常盤物語絵巻」(第4巻、部分)
17世紀/紙本著色/ MOA美術館蔵/重要文化財

肢体や表情の滑稽味も、又兵衛らしい表現です。ところが、私の恩師で、又兵衛研究の第一人者である辻惟雄先生は、これを又兵衛の真筆とは長らく認めていませんでした。私もずいぶんと説得を試みましたが、なかなか首を縦に振ってくれない。それが影響してか、この作品は長らく重要文化財止まりでしたが、二〇〇八年刊行の『岩佐又兵衛――浮世絵をつくった男の謎』(文春新書)で、先生はついに改心を表明。作品も二〇一六年、めでたく国宝に格上げとなりました。

この屏風は、又兵衛三〇代の作とされています。彼は福井藩主・松平忠直に招かれ、四〇歳頃に京都から北の庄(現在の福井市)に移住しました。そして還暦を迎えてのちは、幕府の用命で江戸に下っています。これは又兵衛の評判が、遠く江戸にも聞こえていた証左でしょう。

しかし、流派に属さぬ岩佐又兵衛の名は、やがて画史から抜け落ちていきました。研究者以外にその名を知る人などほとんどないような状態が長らく続いていましたが、二〇一九年の「奇想の系譜」展で大々的に紹介されたのを機に、ようやく巷でも注目を浴びるようになりました。

ちなみに、私的に注目していただきたいポイントの一つは、又兵衛の「髪フェチ」ぶりです。亡き母への思慕からか、又兵衛は女性の長い黒髪への執着が強く、源氏物語に取材した「官女観菊図（かんじょかんぎくず）」（旧金屋屏風）（山種美術館蔵／重要文化財）をはじめ、大蛇のようにのたうつ黒髪の描写は、まさに「美しい奇形」という表現がピッタリです。

絢爛・過剰な世界に穿たれた「穴」の正体

今や日本美術史上最大のスターとなった伊藤若冲（一七一六〜一八〇〇）の数多ある作品のなかでも、極めつけは、やはり「動植綵絵」でしょう。若冲が一〇年もの歳月を費やして描き上げた、全三〇幅におよぶ花鳥画の連作です。

異常なまでに緻密な描写、大胆かつ周到な構図、絵筆を完璧にコントロールした超絶技巧──。これは本当に凄い作品です。二五〇年も前に描かれたとは思えないほど鮮やかに保たれた彩色も見事。ただ美しいだけでなく、奇形や遊び心に溢れ、幻想的でエロティックなオーラすら漂います。

羽模様もゴージャスな鳥、競うように咲き乱れる四季折々の花。抽象的な流水の図様から、まるで図鑑のような魚群まで、三〇幅それぞれに魅力的ですが、なかでも衆目を驚かせて有名なのが「群鶏図（ぐんけいず）」です。色柄も様々な鶏十数羽が、重なるようにぎっしりと描かれ、どの羽がどの鶏のものか判然としないほど。そのド派手な羽の一枚一枚を精緻に描き尽くした「過剰さ」は、縄文の装飾に通じるものです。

縄文的要素は他にもあります。その一つが、画面のそこここに穿たれた「穴」。穴は縄文土器や岡本太郎の造形に共通するキーワードですが、若冲もかなり意識的に穴を描き込んでいます。

たとえば、「紅葉小禽図（こうようしょうきんず）」では、画面左下の枝が妙なループを描いて、まるで穴が開いたようになっています。「雪中錦鶏図（せっちゅうきんけいず）」の粘りつくようにドロリとした雪景にも、所々に穴が開いていて、そこから「向こう側の世界」が顔を覗かせているようです。昆虫パラダ

伊藤若冲「動植綵絵」全30幅のうち「群鶏図」
1761〜65年頃／絹本着色／宮内庁三の丸尚蔵館蔵

伊藤若冲「動植綵絵」全30幅のうち「紅葉小禽図」
1765～66年頃／絹本着色／宮内庁三の丸尚蔵館蔵

伊藤若冲「動植綵絵」全30幅のうち「雪中錦鶏図」
1761～65年頃／絹本着色／宮内庁三の丸尚蔵館蔵

伊藤若冲「動植綵絵」全30幅のうち「向日葵雄鶏図」
1759年／絹本着色／宮内庁三の丸尚蔵館蔵

伊藤若冲「動植綵絵」全30幅のうち「秋塘群雀図」
1759年／絹本着色／宮内庁三の丸尚蔵館蔵

イスを縁取る瓢簞の葉にも虫食いの大きな穴、今が盛りと咲き誇る向日葵の葉にも無数の穴。若冲は、「動植綵絵」以外の花鳥画にも、必ずと言っていいほど朽ちた葉や病葉を描いています。

生きとし生けるものの姿を、美化・歪曲することなく描いた若冲――ですが、肉眼が捉えた現実を、そのまま描いたわけではありません。現実にはありえないような構図も、ポーズも、組み合わせもあります。超絶リアルだけれど、どこか現実離れしている。それこそが若冲ならではの超現実的なビジョンであり、画面に穿たれた穴は、リアルな現実と超現実の世界とをつなぐ役割を果たしているのではないかと思います。

現実と幻想が入り混じった不思議な世界観は、若冲が描く曲線のリズムにも表われています。たとえば、「向日葵雄鶏図」。向日葵の茎、病葉の葉脈、向日葵にまとわりつく朝顔の蔓など、画面の隅々まで彼ならではの曲線のリズムが行き渡っています。朝顔の蔓のように細い曲線も、あるいは「菊花流水図」の大胆にうねる流水の曲線も、さらには各幅の落款に記された、しなるような字にも、若冲特有の曲線のリズムが貫かれている。

「一つだけ違うもの」というのも、「動植綵絵」に特徴的に見られる表現です。前掲の「群鶏図」には、一羽だけ真正面を向いている鶏がいます。「秋塘群雀図」でも、編隊を組んで飛ぶ雀の群れに、アルビノが一羽まぎれ込んでいます。「蓮池遊魚図」に描かれた鮎の群れにも一尾だけ、オイカワという名の、鮎とは似て非なる魚が描かれている。「紅葉小禽図」にも、画面右下に一枚だけ舞い落ちる葉が描かれているのがわかるでしょうか？

この「一つだけ違うもの」は、若冲の自画像ではないかと思います。彼は、京の錦市場で青物を商う大店の長男として生まれ、二三歳で家督を継ぎますが、酒も飲まず、女も好まず、唄や三味線などの芸事にも無関心でした。旦那衆との付き合いが苦手であっただろうことは想像に難くありません。生涯独身を貫き、親しく交わったのは禅僧ほか、ちょっと異色の経歴を持つ人たちばかりでした。おそらく若冲は、俗世の日常や付き合いに違和感を抱えていたのでしょう。そんな彼が唯一のめりこんだのが絵でした。

四〇歳になると家督を弟に譲り、自身は画業に専念。隠居して真っ先に取り組んだのが「動植綵絵」でした。人生五〇年と考えられていた当時、一〇年がかりで完成させたということは、残りの人生のすべてをこの連作に投じる覚悟だったのでしょう（実際には八五歳と長命で、最晩年まで独創的な作品を数々生み出してくれたのですが）。

仏教に深く帰依していた若冲は、完成した「動植綵絵」を「釈迦三尊像」三幅とともに京都・相国寺に寄進しました。しかし、明治の廃仏毀釈で経済的に疲弊した相国寺は、「動植綵絵」の全幅を皇室に献上。その際に下賜された一万円が、再建の資金となりました。一八八九年のことです。

寺の危機を救った若冲畢生の大作は、現在、宮内庁の所蔵となっています。国宝指定の埒外にありますが、指定制度が見直されることがあれば、国宝となる日も遠くはないでしょう。日本美術史上、空前絶後の珠玉の作品であることは間違いないのですから。

サイケデリックで禍々しい吉祥画

まずはページを先にめくって、「群仙図屏風」の図版をじっくりご覧ください。どうですか、この凄まじい迫力！　衣を彩る赤、青、黄の毒々しい原色使いは、それまでの日本絵画にはなかったものです。

登場人物の面貌・目つきも尋常ではありません。扇で顔を半分隠した美女の寄り目は妖気を漂わせ、可愛いとは言い難い童子を引き連れたビン・ラディン似の男は、だらしなく胸をはだけて、さながらロリコンの誘拐犯。

右隻の中央で高々と右手を挙げる男の妖怪チックな相貌も、暴風に抗う服や髪の描写も相当に奇天烈です。龍にまたがる青い衣の男は、足の爪まで青く塗られ、その左手でつかんだ龍の頭のブツブツも、かなり気持ちが悪い。龍の周囲に渦巻く風雲の図様は、岡本太郎が撮った縄文土器の写真に通じるものがあります。

観る人の神経を逆なでするほどグロテスクで、サイケデリックな屏風絵に、注文主も、さぞかしギョッとしたことでしょう。依頼したのは、おめでたい席に飾る屏風だったのに、こんなものが出来上がってきたのですから。

実は絵師も、その依頼にはちゃんと応えています。妖しげではありますが、描かれているのは中国の仙人で、画面のそこここに鶴や亀、龍、鯉など、おめでたいモチーフがちりばめられています。禍々(まがまが)しいけれど、れっきとした吉祥画(きっしょうが)なのです。とはいえ、やはりほとんど出番がなかったのでしょう。保存状態は極めて良好で、毒々しい色使いも、驚くほど鮮やかに保たれています。

これが描かれたのは、江戸時代中期でした。ちょうど若冲の「動植綵絵」制作が佳境を迎えていた頃です。作者の曽我蕭白(一七三〇〜八一)は、凄腕の絵師が綺羅星(きらぼし)の如(ごと)く集まり、鎬(しのぎ)を削っていた一八世紀の京画壇にあって、奇矯(ききょう)な絵ばかり描くことで名を馳せ、ひときわ異才を放っていた人物です。

年齢は、若冲よりも一回りほど下。どちらも商家の生まれですが、境遇は正反対です。大店の跡取り息子として育ち、一〇年もの歳月と最高級の画材を惜しげもなく使って、売り物ではない「動植綵絵」の制作に没頭できた若冲に対して、蕭白は若くして親兄弟を亡くし、絵筆一本を頼みに生きた人でした。

　三〇代の頃は、仕事を求めて伊勢（三重県）や播(ばん)

曽我蕭白「群仙図屏風」(右隻)
1764年/紙本着色・六曲一双/国(文化庁所管)/重要文化財

州(兵庫県)を放浪しましたが、なかでも伊勢の寺院・旧家には、「唐獅子図」(朝田寺蔵/重要文化財)や「雪山童子図」(継松寺蔵)をはじめ、多くの大作と彼の豪快さを示すエピソードが伝わっています。

この「群仙図屏風」も伊勢を放浪していた頃に描かれたもので、右隻に記された長ったらしい落款から、三五歳の時の作ということがわかってい

ます。そこに綴られた仰々しい官位や家柄が、権威主義をおちょくった蕭白の虚言であることは明白ですが、気になるのは、落款のすぐ傍に描かれた仙人です。

極彩色の大画面のなかで、唯一この人物だけがモノクロなのです。二本の巻物を携え、額に手をかざして、冷めた目で狂気の里を見渡しているようにも見えます。辻先生も私も、この人物こそ蕭

曽我蕭白「群仙図屏風」(左隻)
1764年／紙本着色・六曲一双／国(文化庁所管)／重要文化財

白の自画像だろうと思っています。

蕭白は、当時、京画壇の中心にいた円山応挙に対抗心を燃やしていたようで、「画(真の絵)が欲しいなら自分に頼め。絵図(単なる図柄)が欲しいなら円山主水(応挙)が良いだろう」と嘯いています。作品も、振る舞いも豪快でしたが、それは、毒にも薬にもならないような絵を有難がる人々の度肝を抜いてやろうという気持ちの表れであったのかもしれません。

晩年は京都に定住し、京の名士録の画家欄にその名を連ねるまでになりましたが、残念ながら若冲のように長生きはできず、五二歳で他界。往時はファンも多く、菩提寺である京都の興聖寺には、蕭白画に心酔した人々が建て、富岡鉄斎が揮毫した墓も残ります。

蕭白筆を騙る贋作が多いのも、エキセントリックな画風が存外に人気を博していた証左でしょう。伊勢では、曽我蕭白ならぬ「伊賀蕭白」なるパロディー絵師まで出現しています。


生前は根強いファンがいたものの、明治以降、アカデミズムからゲテモノ扱いされてきた蕭白に、国宝指定作品は一点もありません。衆目が一致して代表作と認める「群仙図屏風」でさえ、ようやく重要文化財の指定を受けたのが二〇〇五年です。同年の春、京都国立博物館で開かれた蕭白展では、企画した狩野博幸氏によって、「円山応挙が、なんぼのもんぢゃ！」という刺激的なキャッチコピーがつけられていました。

第一章で述べたように、江戸時代の絵画史を大きく書き換えることとなった名著『奇想の系譜』は、著者の辻惟雄先生が偶然、この「群仙図屏風」と出合ったことがきっかけで生まれたものです。実物を見れば、ほとばしる狂気に圧倒されるだけでなく、隅々まで神経の行き届いた筆致とその超絶技巧に、誰しも驚愕するのではないかと思います。

縄文的奇想の起爆剤となった、ド迫力の禅画

白隠慧鶴（一六八五〜一七六八）の「達磨図」は、実は縦が二メートル近くもある大作です。描いたのはプロの絵師ではなく、なんと八〇過ぎの老僧。臨済宗中興の祖にして五〇〇年に一人の英傑と讃えられた人物です。

達磨の顔をよく見ると、額や鼻の周りに下書きの線が何本も残っています。顎の辺りには墨が飛び散っていますが、そんなことはお構いなし。絵は素人、まったくの自己流ながら、その天衣無縫な筆致や奇想天外な図様には、余技のレベルをはるかに超えた凄みがあります。

白隠は一五歳で出家し、修行のため諸国を行脚しており、絵を描き始めたのは、故郷である東海道の原宿（現在の静岡県沼津市）に戻り、松蔭寺の住持となって白隠と号した三〇代頃からと言われます。

彼にとって、絵は布教の手段でした。読み書きができない人にも、仏の教えをわかりやすく、かつ印象深く伝える絶好のメディアだったのです。禅宗は「不立文字」（言葉に頼る

白隠慧鶴「達磨図」
1767年頃／紙本着色／大分・萬壽寺蔵

な)を説いていますが、白隠は求めに応じて、そこいらにある紙にサラサラと書画をしたため、誰にでも惜しみなく与えたようです。

現存する作品数は、多作で知られる富岡鉄斎やピカソもびっくりの推定一万点超。達磨像だけでも三〇〇点以上を数えますが、この作品は、そのなかでも抜群の出来映えです。アカデミックな美術史の世界では、長らく研究の対象外とされてきた白隠の禅画は、国宝どころか重要文化財すら、いまだ一点もありませんが、私が国宝指定するなら、迷わずこの絵と、長野・龍嶽寺(りゅうがくじ)所蔵の「隻履(せきり)達磨図」を選びます。

白隠が書画制作を本格化したのは、五〇代半ば頃からでした。若い頃の絵には、巧く描こうという欲も見え隠れしますが、六〇代を過ぎた頃から、作風はどんどん自由に、ますます型破りになり、名品とされるもののほとんどは七〇代以降、最晩年に描かれています。「朱達磨」と通称されるこの作品も、おそらく八三歳頃、亡くなる前年に描かれたものです。さすがに体力の衰(おとろ)えを自覚していたようですが、そんなことは微塵(みじん)も感じさせず、畳の上に広げた紙に向かって、一気呵成(いっきかせい)に筆をふるう姿がありありと浮かんでくるようです。

蠟(ろう)で書き、そこに重ねた墨を弾いて白抜きにしたと思われる賛(さん)(画面のなかに書かれた詩句）には、「直指人心（じきしにんしん） 見性成仏（けんしょうじょうぶつ）」とあります。これは、達磨を描いた絵には定番の賛で、自分の心を真っ直ぐに見つめ、本来自分に備わっている仏性に目覚めなさい——という意味です。自由闊達（じゆうかったつ）で型破りな白隠の画と、彼が賛に込めたメッセージは、人々を仏の道に導いただけでなく、若冲や蕭白など、一八世紀の京都画壇に縄文的なる奇想が繚乱（りょうらん）する起爆剤となりました。

画技の掟（おきて）や常識を度外視した、ほとんど反則技とも言うべき画法。何ものにも囚（とら）われない、自由放胆で規格外の表現。プロの絵師たちにとって、相当な衝撃だったと思います。なかでも大きな影響を受けたのが、文人画家の池大雅（いけのたいが）です。彼は白隠に心酔して参禅し、一緒に旅もしています。大雅は神童と称されたほどの技巧の持ち主でしたが、だからこそ白隠の無技巧に仰天し、強く憧れたのかもしれません。

その大雅と親交の深かった蕭白も、白隠禅画の奇想天外ぶりは見知っていたはずです。蕭白が描いたギョロ目の「達磨図」や、現在は米国ボストン美術館の所蔵となっている「商山四皓図屏風（しょうざんしこうずびょうぶ）」に見える衣の太い輪郭線などは、白隠の絵を見ていないと出てこない発想でしょう。

若冲と白隠の直接的な接触や影響関係を示す記録はないものの、禅に帰依していた若冲の耳にも白隠禅画の評判は届いていたのではないでしょうか。MIHO MUSEUMが所蔵する若冲作「達磨図」の三白眼は、白隠が描いたこの朱達磨の藪にらみに通じるものを感じさせます。

禅宗絵画の歴史は、中国から水墨画が伝わった南北朝時代に遡り、室町時代には雪舟をはじめとする名手が腕をふるっています。しかし、江戸初期に登場した白隠の画は、それまでの禅宗絵画とはまったく次元の異なるものです。それどころか、日本美術史の、どの系統にも属さない特異な存在と言ってもいい。

まるで日本の絵画史に殴り込みをかけたような、夥しい数の白隠禅画は、弥生という地層の下にある縄文プレートをギリギリと動かし、のちの絵師たちが「本来自分に備わっている」縄文的なるものに覚醒する、いいきっかけとなったのではないでしょうか。

画狂の筆からほとばしり出る縄文

葛飾北斎(一七六〇～一八四九)と聞いて、誰もが真っ先に思い浮かべるのは大判錦絵の「神奈川沖浪裏」でしょう。代表作「富嶽三十六景」シリーズの一枚で、そそり立つ大波の迫力と、波の向こうに小さく富士山が覗く構図が印象的です。ベロ藍とも北斎ブルーとも言われる青も鮮烈で、波頭のしぶきが、まるで化け物の手のように波間の小舟に摑みかからんとしている有名な作品です。

こうした色鮮やかな浮世絵版画から劇画チックなモノクロの読本挿絵、繊細かつ秀麗な肉筆画まで、多彩な作品を遺した北斎ですが、彼の絵にも、極めてアニミズム的な、ギクッとする表現があります。その筆頭が、「富嶽三十六景」とほぼ同時期に制作された「諸国瀧廻り」シリーズです。

これは、日本各地の名瀑を描いた大判錦絵八枚揃いの連作で、なかでも、滝の上部を敢えて円形にし、穴のような正円のなかに曲線で水流を描いた「木曽路ノ奥阿弥陀ヶ滝」は、一種異様な気配を漂わせています。「穴」は縄文や岡本太郎の造形のキーワードだと述べましたが、この絵が喚起する不思議なイメージも、縄文の「穴」と共鳴するものと言えるでしょう。

図様だけではありません。北斎独特の色彩感覚も、画面に縄文的なる奇怪な空気を醸しているように思います。穴のなかの歪んだ曲線は絶妙な青のグラデーション。そこから轟々と流れ落ちる水流は、きっぱりとした白抜き。幾筋にも分かれ、次第に細くなる水流は、背景の藍をうっすらと映しながら滝つぼへと果てていきます。

葛飾北斎「諸国瀧廻り 木曽路ノ奥阿弥陀ヶ滝」
1833年頃／大判錦絵／岐阜県博物館蔵

瞠目すべきは、滝を望む崖の黄土や木々の緑とのコントラストによって強調された、滝の奥行きです。濃い藍で描かれたその深い闇は、冥界への入り口か、はたまた地上のブラックホールか――。色彩で表現された「穴」にもぜひ注目してみてください。

北斎が江戸本所(現在の東京都墨田区)に生まれたのは、京都で伊藤若冲が「動植綵絵」プロジェクトに取り掛かっていた頃です。美人画の名手として知られた浮世絵師・勝川春章に弟子入りし、勝川春朗の名でデビューしますが、三〇代半ばで破門。その後、何度も画号を変えながら、九〇歳で天寿を全うするまで、とにかく描いて、描いて、描きまくりました。

三〇以上あると言われる画号のなかで、最も有名な「北斎」の号を用いていたのは、四〇代半ばから五〇代半ば頃です。「富嶽三十六景」や「諸国瀧廻り」を制作した六〇代後半から七〇代半ばにかけては、「為一」と号していました。

為一時代は、錦絵の傑作を量産し、その後「画狂老人卍」の号で、肉筆作品でも追随を許さぬ画境を極めます。人生五〇年時代に八四歳まで生きた白隠、八五歳まで生きた若冲もそうでしたが、北斎もまた、老いてますます自由に、よりパワフルに「美しい奇形」を生み出していったのです。

『奇想の系譜』の著者の辻惟雄先生は、北斎の晩年の作品が示す「爬虫類的」な気味の悪い造形に、縄文的なものの噴出を指摘しています。その一例として氏が挙げているのが、亡くなる年に描かれた「雪中虎図」という作品です。四肢の爪を立て、まるで蛇のように肢体をくねらせながら雪舞う森を駆け抜ける虎の姿は、まさに妖怪チックですが、辻先生はそこに、「かれのなかに秘められたアニミズムの血脈」(『岩波 日本美術の流れ7 日本美術の見方』岩波書店、一九九二)を感じると綴っています。

自らを画狂と呼んだ北斎の、絵を描くことへの狂おしいまでの情熱と飽くなき探究心は、七〇代半ば頃の筆とされる「富嶽百景」の跋文がよく物語って有名です。曰く、七〇歳以前に描いた絵は、どれも取るに足らない。あと一〇年もして、八六歳になれば、もっと巧くなり、九〇歳で奥義を極め、一〇〇歳で神の域に到達して、一一〇歳を過ぎたら一点一画が生きているかのように描けるようになるはず——。なんという貪欲さでしょうか!

病に倒れ、もう長くはないと知った北斎は、「あと五年生きられれば真の絵描きになれるのに」と口惜しがったと言います。「雪中虎図」と同様、亡くなる年の作とされる肉筆画の「富士越龍図」(北斎館蔵)や「雨中の虎図」(太田記念美術館蔵)の迫力、その画面が発する強烈な妖気を体感すれば、これほどの絵が描けてなお満足していなかったのかと驚嘆するに違いありません。

北斎の貪欲さは、際限を知らない縄文の装飾意欲に相通ずるものだと思うのですが、いかがでしょう。

土佐に花開いた奇想の妖美

縄文の系譜に連なる幕末の凄腕絵師を、もう一人ご紹介しましょう。江戸でも、京でもなく、もっぱら故郷の土佐(現在の高知県)で活躍した絵師金蔵(きんぞう)(一八一二〜七六)。略して「絵金(えきん)」と通称されている人物です。

絵金は、江戸時代以前から続く伝統的画技・画法をしっかり継承しつつ、独自に奇想の花を開かせた異才の一人です。髪結いの子として生まれますが、土佐藩のお抱え絵師・池添楊斎(いけぞえようさい)に画才を見出され、手ほどきを受けたと伝わります。楊斎の推薦で江戸にのぼるチャンスをもらい、さらに江戸・土佐藩邸の計らいで、幕府の御用絵師である駿河台狩野家に入門。わずか三年で免許皆伝というスピード出世を果たしました。

二一歳で故郷に凱旋(がいせん)すると、苗字帯刀を許され、土佐藩の家老・桐間(きりま)家のお抱え絵師に取り立てられました——が、人生の順風満帆はここまで。どうやら、彼の才能と異例の出

絵金「浮世柄比翼稲妻 鈴ヶ森」
幕末〜明治初期／紙本着色・二曲一隻／高知・絵金蔵蔵

世を妬む人があったようで、事件に巻き込まれ、偽絵描きの汚名を着せられてしまうのです。

お抱え絵師の任を解かれた上、城下追放となった絵金は、放浪しながら絵筆で糊口をしのぎ、やがておばの住む赤岡（現在の高知県赤岡町）に腰を落ち着けます。一介の町絵師に堕ちた絵金の名が今に伝わるのは、この地で描いた芝居絵屏風が大変な人気を博したからです。

普通の屏風のように、部屋のなかに飾るものではありません。「仮名手本忠臣蔵」「菅原伝授手習鑑」「木下蔭狭間合戦」「播州皿屋敷」など、当時、巷でヒットしていた歌舞伎や人形浄瑠璃のワンシーンをダイナミックに描いた絵金の芝居絵屛風は、夏祭りの宵を彩る、いわば「見世物」でした。多くは神祭の奉納品ですが、この「浮世柄比翼稲妻 鈴ヶ森」のように、思わず目を背けたくなるような凄惨な場面を描いたものが目立ちます。

黒い小袖から血赤の襦袢をのぞかせているのは、お尋ね者の権八。その顔を提灯で照らし、彼を呼び止めているのは俠客・長兵衛。二人の足元には、権八に斬り捨てられた雲助たちの生首がごろごろ転がっています。

祭りの日、通りをそぞろ歩く人々は、商家の軒先に並べられた極彩色の屛風絵を蠟燭の灯りで見ていました。揺らぐ炎の向こうに浮かび上がる、美形の男と、ギロリと睨む男。「何事だろう?」と思って顔を近づけてみると、地面に転がる生首がカッと目を見開いてこちらを凝視していたりするのですから、夕涼み気分どころか、観客は背筋の凍る思いをしたに違いありません。

常軌を逸したスーパーデコラティブ

縄文の大胆かつ「やりすぎる」血脈は、幕末から明治にかけて彫刻や工芸の分野でも異形の傑作を生み出しました。石川雲蝶(一八一四〜八三)の透かし彫りの天井レリーフもその一つです。

米どころとして知られる新潟県魚沼市にある曹洞宗の古刹、西福寺。茅葺屋根の開山堂に一歩足を踏み入れると、手を伸ばせば届きそうな三間四方の天井から、極彩色の立体的な彫刻装飾が凄まじい迫力で迫ってきます。描かれているのは、曹洞宗の開祖・道元禅師にまつわる説話で、虎に襲われた道元が、手にしていた杖を投げると、杖が龍神となって虎を追い払ったという場面を活写しています。

作者の石川雲蝶は、江戸・雑司が谷に生まれ、若くして名を挙げ、二〇代で幕府御用勤めとなった凄腕です。その後、越後三条の寺に招かれ、この地で結婚し、越後各地の寺社で多くの彫刻作品を制作しました。

彼はこの天井装飾「道元禅師猛虎調伏の図」を、五年もの歳月をかけ、彫りも、彩色も、漆喰細工や絵画の部分も、たった一人で完成させました。地元では「越後のミケランジェロ」と呼ばれていますが、空間をびっしりと埋め尽くす装飾は、むしろ日本人の原点とも言うべき縄文の過剰美の感覚を継承した造形に見えます。波のような形が渦巻きながら複雑に絡み合い、まるで縄文土器の装飾のようです。

石川雲蝶「道元禅師猛虎調伏の図」
1857年／木彫彩色・漆喰／新潟・西福寺開山堂（提供：〔一社〕魚沼市観光協会）

魚沼地方は、日本でも有数の豪雪地帯なので、長い冬を真っ白な雪に閉ざされて暮らす人々にとって、極彩色の彫刻で埋め尽くされた堂内は別世界だったはずです。此岸にいながらにして、夢のような彼岸の世界を体感できる場所だったのではないでしょうか。

見上げていると、龍や虎が動き出し、その雄叫びに包まれて、道元の物語世界にワープしたかと錯覚するほど迫力があります。視覚だけでなく、皮膚感覚までビリビリと刺激する力を秘めた作品です。

超絶技巧が生んだ明治工芸の「美しい奇形」

徳川の治世が終わりを告げると、美の担い手は幕府や藩の仕事を失い、岐路に立たされることになりました。この変革期に、伝統工芸の匠が新たな市場として注目したのが欧米です。明治政府も精緻華麗な日本の工芸を、外貨獲得のための「輸出品」と位置付け、海外進出を積極的に後押ししました。

一方で、鎖国を解いた日本には、ヨーロッパの文物が怒濤の如く流入し、その強烈な文化的刺激が、日本が培ってきた美感や超絶技巧との間で妙な化学変化を起こし、いまだかつてないキッチュな造形——「美しい奇形」を生み出していきました。

明治工芸の「美しい奇形」は、欧米で絶大な人気を博しますが、残念ながら、日本国内では「美術」として認知されず、アカデミックな美術史の流れから外れていってしまいました。それゆえ、明治工芸には重要文化財指定が少ない。不当に少ないと言っても過言ではありません。

この作品の作者、初代・宮川香山（一八四二～一九一六）は、数少ない重文指定を受けた匠の一人です。香山は京都・真葛ヶ原に生まれ、楽焼や仁清の写しを得意とした父を師として修業しました。幕末には幕府の依頼で朝廷への献上品も制作していますが、明治に入ると早々に、貿易拠点として注目を集めていた横浜に移住し、輸出陶磁器を制作するために新たな窯を開き、真葛焼を創始した人物として知られています。

当初は京焼風の色絵磁器や薩摩金襴手の陶磁器をつくっていましたが、やがて金襴手の陶磁に「高浮彫」と呼ばれる彫刻的な立体装飾を施したユニークな作品で大ブレイク。写真の深鉢はその代表作で、まさに明治初期という渾沌の時代が生んだ「美しい奇形」です。

実物かと思わせるほど超絶リアルな二匹の渡り蟹が、重なり合うようにして貼りついています。鉢の裾部分はヘラ跡も荒々しく生地が露出し、蟹がしがみついている磯の岩肌の

宮川香山（初代）「褐釉蟹貼付台付鉢」
1881年／東京国立博物館蔵／重要文化財（Image : TNM Image Archives）

よう。したたりおちる褐色の釉(うわぐすり)は、岩を洗う波飛沫(なみしぶき)のようにも見えます。

　利休の侘び茶を体現した楽茶碗とは対極的な、とてつもない焼き物――。しかし、こうした「縄文的工芸」に評価の光が当たるようになったのは、実に一〇〇年後のことです。

　昭和天皇の崩御(ほうぎょ)によって皇室の所蔵品が国に移管され、一九九三年に宮内庁三の丸尚蔵館(しょうぞうかん)が開館。同館の地道な調査に基づいて、継続的に展覧会が開かれ、宮内庁秘蔵の名品が続々と公開されたことが再評価のきっかけの一つとなりました。二〇〇四年には東京国立博物館において、明治期の工芸を再評価する素晴らしい展覧会「世紀の祭典 万国博覧会の美術 パリ・ウィーン・シカゴ万博に見る東西の名品」展が開催（大阪・名古屋に巡回）されましたが、その二年前に「褐釉蟹貼付台付鉢」が重文に指定されたのです。

香山に限らず、幕末・維新の激動期を生き抜き、殖産興業の国策に与しながらも、職人としてのプライドと奇想を貫き、驚くべき「モノ」を遺してくれた先達の偉業は、もっともっと評価されるべきだと私は思います。

縄文の気迫に満ちたスーパーリアル

「相撲生人形」は、一二三のパーツで構成された木彫の立体作品です。相撲の始祖とされる野見宿禰と当麻蹴速が力比べをしたという説話に材を取り、勝負が決する瞬間を、驚くほどリアルに表現しています。

生人形は、家に飾って楽しむものではありません。江戸時代後期から明治の半ばにかけて庶民の人気を博した、いわゆる「見世物」です。旅装束姿の美しい観音様あり、当時のアイドルとも言うべき遊女あり。なかには妖怪や変死体の人形をつくって、今で言うお化け屋敷の先駆けとなった興行もありました。

この「相撲生人形」は、東京・浅草寺の見世物興行で披露されたものです。作者名の安本亀八は、幕末から終戦直後まで三代続いた生人形のブランド名です。初代（一八二六〜一九〇〇）は、肥後熊本の仏師の家系に生まれますが、廃仏毀釈のあおりを受けて、人形細工師に転身。上方から江戸、さらには上海など海外でも興行を行い、世間を驚かせた凄腕の職人です。見世物としての生人形のほかに、セレブの肖像彫刻なども手掛け、古美術鑑賞会の審査委員も務めています。

二代・亀八となった長男（一八五七〜九九）は早世しますが、弟が三代・亀八（一八六八〜一九四六）として仕事を受け継ぎ、工房を構えて活躍しました。日本の服飾文化を海外に伝えるため、万国博覧会に出品する衣装人形なども手掛け、見世物としての生人形が廃れたのちは、高級デパートのマネキンを制作しています。ちなみに「相撲生人形」は、初代のほか、二代・三代の手も入った畢生の共作ではないかと言われています。

エンターテインメントに供された造形として一世を風靡した生人形ですが、国内に現存する作品はごく僅かです。それは、見世物興行が廃れたからというだけではありません。他の工芸分野と同様、この素晴らしい造形を職人仕事と蔑み、美術として認めない風潮が

安本亀八「相撲生人形」
1890年／木彫彩色・着装／熊本市現代美術館蔵

あったからです。

「相撲生人形」は、浅草寺境内でこれを見た米国人コレクターが購入し、一八九二年にデトロイト美術研究所に寄贈されましたが、海外に流出した生人形について調査していた熊本市現代美術館が、デトロイトの所蔵庫で埃をかぶっていたのを買い戻し、二〇〇五年、百十余年ぶりに里帰りを果たしました。

熊本市現代美術館が主体となって進めてきた調査・研究と、その成果に基づいて開催された本格的な展覧会によって、生人形に関する再評価は近年、飛躍的に進展しました。これは幕末・明治の工芸を見直す上で、象徴的な出来事だったと思います。単なる写実ではなく、人間が生きていることの本質をゾクゾクするほどのリアリティをもって再現した職人たちの超絶技巧とエネルギーが感じられるのではないでしょうか。

ちなみに、手前で両足を踏ん張っているのが野見宿禰、爪先立ちでこらえている浅黒の男が当麻蹴速。『日本書紀』には、宿禰が蹴速の腰を踏み折って勝ったと記されています。いずれも身長二メートルを超える巨漢。この作品も高さが一七〇センチあり、実物を間近で見ると、「オリャー」「ウギャー」という声が聞こえてきそうなド迫力です。

和洋の美感が渾然一体となって奏でる不協和音

幕末と明治の狭間に花開いた彫刻・工芸作品を紹介してきましたが、この時期は油絵にも一種異様な迫力を持ったものがあります。その筆頭が「浦島」です。

玉手箱を抱えた浦島太郎が、巨大な亀に乗って人間界へと戻る姿を描いたもの——ですが、長髪に甘いマスクの青年は、旧来の浦島太郎像とは掛け離れています。竜宮城の女性や子どもたちが大亀を囲むようにして見送っていますが、彼女たちが頭にいただく黄金の細工や腕飾りのデザインも、ごてごてとしてエキゾチック。後方に見える、白い薄衣をまとった女性が乙姫(おとひめ)ですが、彼女が手にした手綱の先を行くのは、法螺貝(ほらがい)のようなものを掲げた老ポセイドンでしょうか。海の彼方に見える竜宮城も、ギリシャの神殿のようでもあり、違うようでもあり、まったく国籍不明です。

描いたのは明治期の洋画家、山本芳翠(やまもとほうすい)(一八五〇〜一九〇六)です。「北斎漫画」に感化されて画家を志(こころざ)し、当初は南画(なんが)家を目指すも、紆余曲折あって洋画に転向。肖像画で頭角を

山本芳翠「浦島」
1893～95年頃／油彩・カンヴァス／岐阜県美術館蔵

現わし、一八七八年にパリ万博の事務局の一員としてフランスに留学します。ちなみに、芳翠はパリで出会った法律家志望の青年を絵の道に誘ったことでも知られますが、この青年こそ、のちの日本画壇に君臨する黒田清輝でした。

　留学中はオーソドックスな絵を描いていた芳翠ですが、一〇年近くを過ごしたパリから戻ると、その画風に異様な空気が漂うようになります。国籍不明の危うさを孕んだ「浦島」も帰国後に描かれたもので、「ジャパン・オリジナル」な物語世界を油彩でこってりと描き、西洋の歴史画に挑んだ意欲作です。フランス歴史画の大家ジャン＝レオン・ジェロームに師事した芳翠ならではの作品ですが、画題と画風が奇妙な不協和音を奏で、ギトギトとしたグロテスクな美しさを放っています。

大亀の異形、愛らしいとは言い切れない子どもたち、描き込みのしつこさ——。何より、この画題と画風の不協和は、江戸中期に人々をギョッとさせた蕭白の「群仙図屏風」に通じるところがあると思うのですが、いかがでしょうか？

戦後の日本に噴出した縄文的巨像

縄文の「美しい奇形」は、意外に身近なところにもあります。その一つが、東京日本橋にある三越本店本館の中央ホールに聳え立つ、極彩色の巨大な「天女（まごころ）像」です。

高さは、なんと一一メートル。吹き抜けの五階まで届かんとするほど大きく、かなり目立ちますが、じっくり眺めたことがある人はおろか、見過ごしている人も多いのではないでしょうか。一階で商品を眺める目線の高さには台座しかないので、それも致し方ないことかもしれません。

　近寄ってみると、びっしりと施された彫刻が細やかで複雑怪奇なことに驚愕します。クネクネと風にたなびく天女の衣、圧倒的なエネルギーで渦巻く瑞雲、像を縁取る火焔のような造形。裏側に回ると、絢爛豪華な渦紋様がモリモリとひしめき、色鮮やかな鳥たちが隊列を組んで飛び回っています。さらに注目していただきたいのが、背面の上部です。縄文や岡本太郎の造形にも特徴的な、目玉のようなものが嵌め込まれています。

　作者は日本彫刻界の巨匠、佐藤玄々（一八八八〜一九六三）です。福島の宮彫師の家に生まれ、一七歳で彫刻家を志して上京。官費で二年間フランスに留学し、西洋彫刻も学んでいます。後年は京都の妙心寺塔頭・大心院に住まい、ここをアトリエとしていた頃に依頼されたのが、三越百貨店の創立五〇周年を記念した、このモニュメントでした。

　当初の予定では、制作期間は二年、高さ六メートルの作品になるはずでしたが、つくり始めると玄々の想像力は爆発的に広がり、高さは予定のほぼ二倍に。完成までに一〇年もの歳月を費やしたという、とてつもない作品です。

　玄々は、越後に奇矯な天井レリーフをつくり上げた石川雲蝶の後継とも言うべき存在ですが、雲蝶がたった一人でつくり上げたのに対し、玄々は日本中の職人たちの手を借り、

太平之春

佐藤玄々「天女（まごころ）像」
1960年／木彫彩色／東京・日本橋三越本店

その技とエネルギーを結集してこの像を完成させました。その数、のべ一〇万人！　台座には、参加した匠の名前がずらりと刻まれています。

昭和の時代に噴出した、極めて縄文的な造形は、やりすぎのように見えて、全体として完璧な調和がとれています。完成時、七二歳だった玄々は、その三年後に亡くなりました。彫刻家人生の集大成とも言うべき、渾身の作品でしたが、設置当初は悪趣味という批判も多く、美術界では完全に無視されていました。

「侘び寂び」のようにコンセプチュアルでシンプルなもの、深い精神性を「秘めた」ものが日本美術の真髄であり、誰が観ても「すごい！」とわかるような職人仕事は美術ではない――そんな明治以来の風潮は、いまだ根強いように思います。

こんなに素晴らしい作品への評価が低いのは、本当に残念です。完成から四〇年を経た二〇〇〇年に修復工事が行われ、制作当時の絢爛な輝きを今に伝えています。日本橋に行くことがあれば、一階から見上げるだけでなく、吹き抜けに面した三階あたりから、像の裏側や、横から見た時の絶妙な曲線美をぜひ味わっていただきたいと思います。

逸脱の画聖・雪舟の縄文的グラフィック

時代は前後しますが、ここで一つ、室町時代の画僧・雪舟等楊（一四二〇～一五〇六）の作品を紹介したいと思います。

日本絵画史のメインストリームに燦然とその名を刻む、水墨画のチャンピオンが縄文的？と、首をひねる人もいるでしょう。たしかに雪舟の絵で一番有名なものは、東京国立博物館所蔵の「秋冬山水図」かもしれません。でも、大学時代から雪舟を研究してきた私のイチオシは「慧可断臂図」（次ページ）。教科書にも載っている「秋冬山水図」より断然面白いと思います。

描かれているのは禅宗の開祖・達磨と、のちに達磨の跡を継いで禅宗の第二祖となった慧可のエピソードです。面壁九年――ひたすら壁に向かって坐禅を組んでいた達磨のもとに、弟子入りしたいと慧可がやってきます。しかし達磨は、なかなか認めてくれない。そこで慧可は、自分の左腕を切り落として決意のほどを示した、という場面です。

よく見ると、この絵にはおかしなところがたくさんあります。たとえば、慧可の耳。顔は真横を向いていますが、耳は後ろから見たように描かれている。横顔を描きつつ、慧可が達磨のほうを向いて懇願していることを示そうとしたのかもしれませんが、まるで餃子

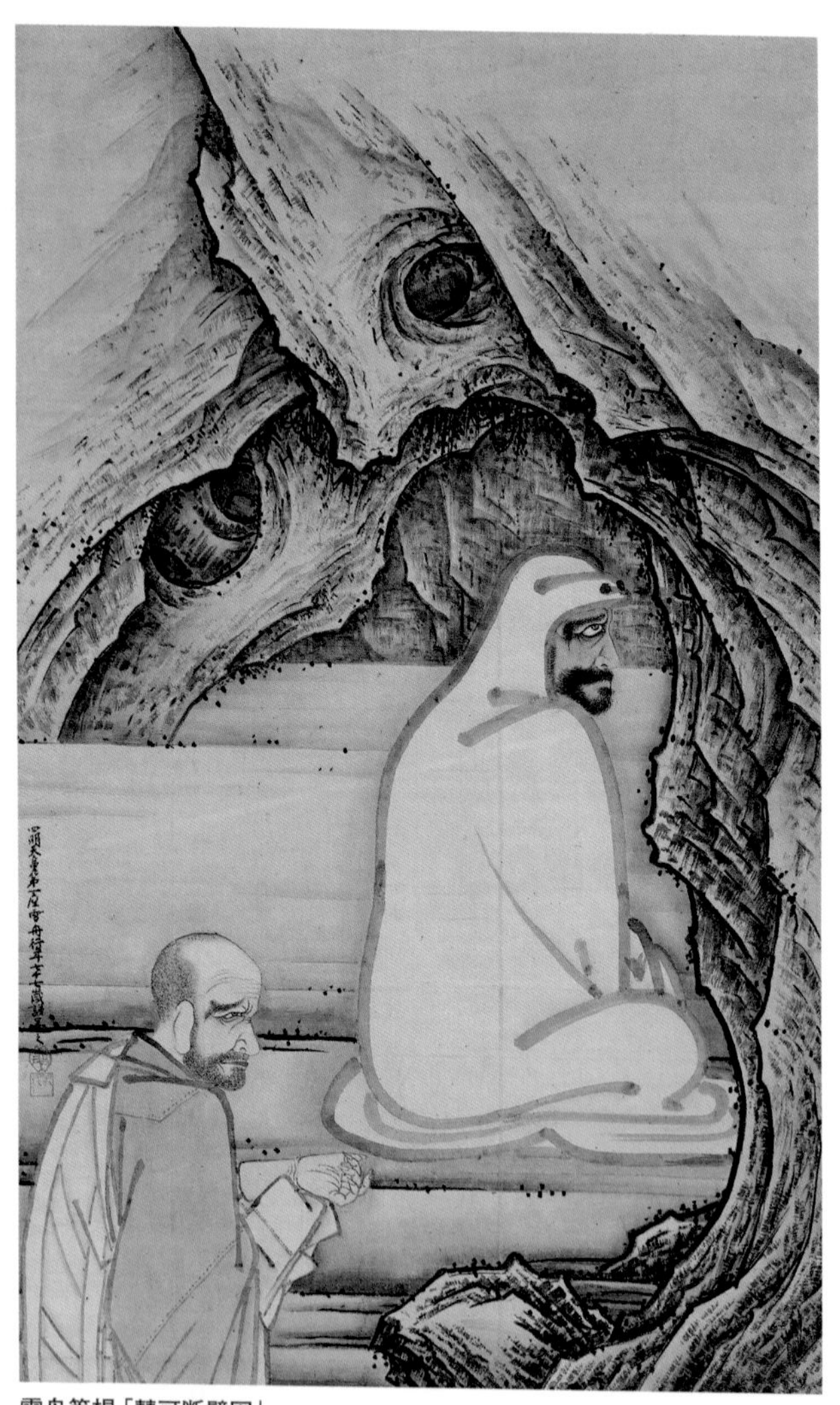

雪舟等楊「慧可断臂図」
1496年／紙本墨画淡彩／愛知・斉年寺蔵／国宝

の皮のようで、どう見てもヘンです。

二人の表情もかなりユニークです。切り落とした左腕を、右手で差し出す慧可の情けない顔に、上目で岩を見つめる達磨も、何となく恨めしそう。「あのー、入門したいんで、腕をチョン切ってきたんですけど」「……そんなことされてもなぁ」。そんな二人の会話が聞こえてくるような気がしませんか?

雪舟は備中赤浜（現在の岡山県総社市）の生まれで、一〇代の頃、つてを頼って京都・相国寺に入り、そこで室町幕府の御用絵師を務めた画僧・周文に師事します。残念ながら京画壇では芽が出ず、三〇代半ばで周防（現在の山口県）に下りますが、四〇代も後半になって、大きな転機が訪れます。周防を治める大内氏の遣明船で、画の本場・中国に留学するチャンスを得たのです。二年間の留学から戻ると、雪舟は本場・中国で学んだ画技と「中国帰り」というブランド力を駆使して名声を高めていきました。

「慧可断臂図」は、雪舟七七歳の時の作品です。オリジナリティの高い絵のように見えますが、実は元となった絵が中国にあります。明代に活躍した職業画家の手による、小さな巻物に描かれた絵を、雪舟は畳一畳ほどもある大画面に引き伸ばし、ダイナミックに表現しました。

達磨の衣の線を見ると、背中のなかほどで墨を継いでいることがわかります。本当は一気に引きたかったのだと思いますが、あまりに画面が大きくて、途中で足りなくなったのでしょうか。墨の継ぎ足しは、落款の末尾の「図之……」という部分にも見えます。

落款には、中国の天童寺（てんどうじ）という寺で第一座の称号をもらったことが書かれています。授称したのは四〇代の終わり頃。それを七〇代になっても誇らしげに、しかも、さほど巧くもない字で書き連ねているところに雪舟の人間味が感じられます。――実は、これこそが雪舟の絵の本質と面白さに接近する鍵なのです。

国宝に指定された雪舟作品は、日本の絵師のなかで断トツ最多の六点。日本美術史において、雪舟がいかに神格化されてきたかを物語る数字です。しかし、雪舟の真価を読み解くキーワードは、アカデミズムが漠然と持ち上げてきたような「精神性」などではなく、「逸脱」と「乱暴力」だと私は考えています。そして、それが最もよく当てはまるのが、この作品なのです。

作品そのものと向き合うことによって見えてくる「人間・雪舟」。その実像を多くの人に伝えるべく、私は二〇年ほど前から、当時まだ重要文化財止まりだった「慧可断臂図」を大きく取り上げつつ、論陣を張ってきました。ちょうど雪舟の没後五〇〇年を記念した特別展が東京・京都の国立博物館で大々的に開催された頃です。

二〇〇〇年に上梓した故・赤瀬川原平さんとの対談集『日本美術応援団』では、初回で雪舟を取り上げました。題して「雪舟が神棚から降りてくる」。二〇〇二年に『芸術新潮』（新潮社）誌で雪舟特集を監修した際は、「慧可断臂図」の達磨のどアップを表紙にしました。同じ年に刊行された赤瀬川さんとの共著『雪舟応援団』（中央公論新社、二〇〇二）も、表紙は「慧可断臂図」。なぜ重要文化財止まりなんだ！という抗議の本気を示すべく、私は頭を丸めて慧可のコスプレまでしました。こうした活動が奏功してか、二〇〇四年、この作品はめでたく国宝に格上げされました。

雪舟の絵の面白さ、本当の凄さは「画聖」と崇め、有難がって見ているだけではわかりません。「ここ、ヘンじゃない？」「ここは、かなり手を抜いている気がする。疲れたのかなぁ」「落款の字もヘロヘロだよ」とツッコミながら曇りのない目で向き合えば、人間味溢れる雪舟の姿が浮かび上がってきます。

大阪の藤田美術館が所蔵する雪舟の自画像（模本）を見ると、大きな帽子をかぶっています。これは間違いなく、中国で買ってきたもの。かつてパリに留学した老画家が、彼の地で買ったベレー帽を後生大事にかぶりつづけているようなものです。

雪舟は、それを無邪気に自慢するような、人間味溢れる面白いオッサン――そう思って対峙すれば、次章で紹介するような雪舟の「弥生的名品」も俄然、面白く見えてくるはずです。

縄文的な金碧画の最高峰

絵画から彫刻、工芸まで、時代も様々な縄文的魅力に溢れた作品を紹介してきました。ラストバッターは、ひと際ゴージャスな金碧画「楓図（かえでず）」です。

作者は、安土桃山時代から江戸時代初期にかけて活躍した長谷川等伯（一五三九～一六一〇）です。雪舟と同様、意外に思った人もいるかもしれません。等伯の作

長谷川等伯「楓図」
1593年頃／紙本金地着色・壁貼付四面／京都・智積院蔵／国宝

品で、というより、日本の国宝絵画のなかで、人気ナンバーワンはやはり「松林図屏風」(136ページ)でしょう。弥生的美の粋とも言うべき、水墨画の名品ですが、彼の才は極めて縄文的な、過剰で絢爛な作品にも遺憾なく発揮されています。その最たるものが「楓図」で、もちろん国宝に指定されています。

　画面からはみだすほど、どっしりと描かれているのは楓の木。現実離れした巨幹を赤や緑の葉が彩り、足元には萩や菊、鶏頭など秋の草花が咲き誇っています。その繊細で華麗な筆致、画面から溢れ出すエネルギーは尋常ではありません。

これはもともと、豊臣秀吉と淀君の間に生まれ、わずか三歳で他界した鶴松の菩提を弔うために造営された祥雲寺の障壁画です。彼岸の里で鶴松を守るかのように枝を広げる楓の巨木と、幼い彼を優しく包み込んであやす可憐な花々の佇まいは、待望の世継ぎを亡くして落胆していた秀吉を癒し、大変な気に入りようだったようです。

クライアントである天下人の思いを汲んだというだけではありません。この障壁画の制作は、等伯にとって、まさに一世一代の大仕事でした。

能登（現在の石川県）に生まれた等伯は、養父や養祖父に絵の手ほどきを受け、地元で主に仏画を描いていましたが、三〇代半ばに一念発起し、妻と息子を連れて京の都に進出します。しかし、いかに腕がいいとはいえ、一介の地方絵師だった等伯に、おいそれと大仕事が回ってくるはずもありません。当時は永徳率いる狩野派が、御所の仕事はもとより、信長や秀吉など天下人の用命をほぼ独占していたからです。

五〇歳を過ぎて、ようやくチャンスが巡ってきたのが、秀吉が造営していた仙洞御所の障壁画の制作でした。しかし、この仕事は、有力公家に働きかけた永徳に横取りされてしまいます。

永徳にとっても等伯は脅威だったのでしょう。もっとも、永徳自身はこの一件の心労・

過労が祟ってか、わずか一カ月後に急逝。カリスマ当主を失った一門が混乱に陥っている最中に鶴松が亡くなり、壮大な菩提寺が建立されることになったため、再び等伯に大きなチャンスが転がり込んできます。そして、失敗の許されない一世一代の大仕事の大成功を機に、等伯率いる長谷川派は、狩野派と肩を並べる一大勢力となっていったのです。

楓の木を、これでもかと大きく描くあたりは、ライバル・永徳の巨木表現を意識したものでしょう。狩野派を蹴落としてやろうという野心も匂いますが、画面を華やかに彩る草花の、賑々しくも繊細な描写は等伯ならではと言えます。

それにしても、この縄文的な「楓図」によって天下一の絵師となった等伯が、一体なぜ、弥生的な「松林図屏風」を描くに至ったのでしょうか――。次章を読んでいただければ、縄文と弥生という両極を極めた、ハイブリッドな等伯ワールドの凄みとともに、その理由が見えてくると思います。

第四章　「弥生」から日本美術を見る

日本美術の通奏低音とは

第三章では、室町時代の野性味溢れるやまと絵から、江戸時代中期に京の都で流行した奇想溢れる画家たちの作品、さらには昭和のスーパーデコラティブな天女の巨像まで、縄文的美の系譜に連なる一九作品をご紹介しました。

ですが、繰り返し述べてきたように、日本美術にはこれらの作品とは対極をなす、端正で優美な弥生的な美の系譜があります。縄文の造形が「濁流」だとすれば、弥生の造形は「清流」と言えます。縄文が饒舌であるのに対し、弥生は物静かで控えめ、かつ上品で調和がある。そんな弥生の美感は、続く古墳時代の埴輪に引き継がれ、その後の日本美術の通奏低音となっていきました。

たとえば、平安時代に描かれた典雅な絵巻、あるいは室町時代に描き継がれた水墨画の枯淡な味わい、江戸時代の洗練された琳派の画風——。アカデミックな日本美術史の世界は、これらに通底するニュアンスを讃美し、なかでも室町時代の水墨画の枯れ侘びた表現や禅的な風情を、日本文化の根幹をなすものとして称揚してきました。

しかし近年は、キッチュでゴージャスな縄文勢が人気を集め、これに圧倒されて弥生的な名品が不遇をかこつという逆転現象が起きはじめています。私も、アカデミズムが長らく等閑視してきた縄文的な美の復権を標榜し、その旗振り役を担ってきた一人ですが、もちろん弥生的な美を否定しているわけではありません。

本章では、雪舟や等伯の水墨画、枯山水（かれさんすい）の名庭から利休が長次郎（ちょうじろう）に焼かせた黒楽茶碗、大正・昭和期の端正な日本画に至るまで、弥生的美の系譜に連なる作品の魅力と見所をしかとお伝えしたいと思います。

抽象に片足を突っ込んだ水墨画の国宝

前章で雪舟の「慧可断臂図」（114ページ）を縄文的な作品の一つとして取り上げましたが、「破墨山水図（はぼくさんすいず）」は弥生的な美感による水墨画の国宝です。仙境の幽玄が、少ない筆数で瑞々（みずみず）しく、見事に表現されていて、紙に向かう画家の息づかいまで伝わってくるようです。

そもそも論になりますが、墨一色で描かれた絵＝水墨画というわけではありません。日本における水墨画とは、基本的に中国・宋代の絵画スタイルをもとに、鎌倉時代後期以降に描かれた作品を指します。それ以前の作品は、たとえ墨一色で描かれていても水墨画とは呼びません。

平安時代以前の絵は「白描画（はくびょうが）」、あるいは「白画（はくが）」と呼んで区別します。これらに特徴

雪舟等楊「破墨山水図」(部分)
1495年／紙本墨画／東京国立博物館蔵／国宝 (Image : TNM Image Archives)

的なのは、均質な墨線による線描であることです。一方、水墨画は、日中を行き来する僧によって、禅宗や喫茶の習慣とともにもたらされた、墨の暈しによる濃淡や筆の抑揚を駆使した最先端の描法＝墨のグラデーションによる表現を特徴とします。

そして室町時代、この墨描きのニューモードと画技・画法を、ただ一人現地で吸収してきた人こそ、雪舟でした。もっとも、「水墨画の巨匠」「日本が誇る画聖」と言われる彼が、聖人君子でないことは前章でも触れた通りです。「破墨山水図」にも、それがありありと表われています。どこだと思いますか？

絵の上部を見てみてください。そこに雪舟は長い文章をしたためています。曰く、鎌倉からはるばる山口までやってきて、自分に弟子入りした宗淵クンは、なかなかよく勉強し

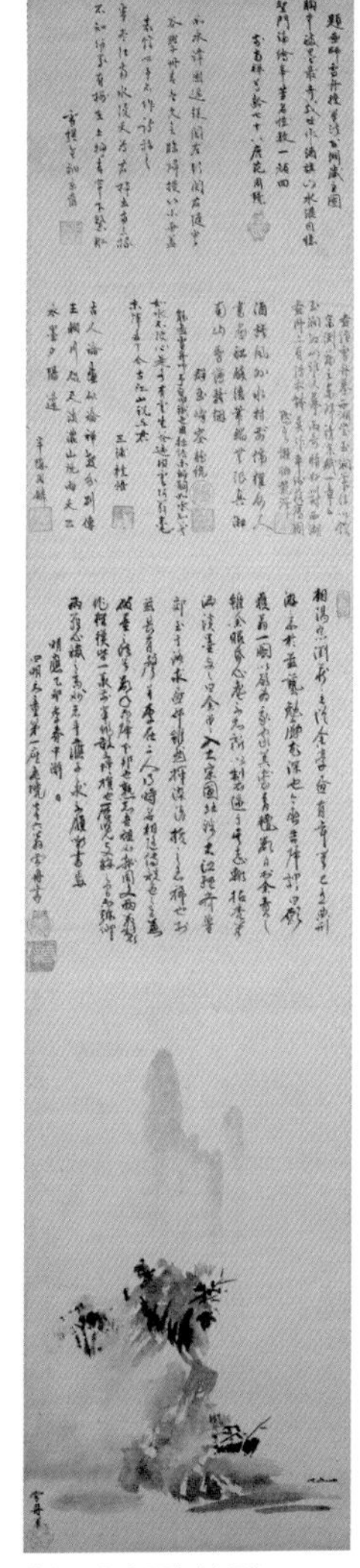

「破墨山水図」（全図）

た。だから、故郷に戻る彼に餞別として、この絵をあげよう――。最初にそうサラッと書いて、あとはひたすら自分の自慢話です。

中国に留学したこと、そこで李在や長有声に画を学んだこと、さらに日本では如拙、周文の画を受け継いでいることなどを綿々と書き連ねています。「慧可断臂図」の落款でも中国帰りをさりげなくアピールしていましたが、このやたらに長い自己PRの序文中ほどに見える、自分は大宋国（中国）入りしたというくだりの「入」の字の大きいこと！　たっぷり墨を継いで、「俺は中国へ行ったんだぜ！」と気合いを込めて書いているあたりが、雪舟の無邪気な性格を物語っている気がします。

臆面もなく「自画自賛」するだけあって、もちろん雪舟の絵は凄いと思います。凄いけれど、ちょっとヘン。ヘンだからこそ凄いし、面白いのです。

どこがヘンかというと、実際の景色を描いているようで、実は抽象に片足を突っ込んでいるところでしょうか。教科書にも載っている国宝「秋冬山水図」の冬景を観ると、それがよくわかります。

画面中央に描かれた縦の線は「木の枝？」という人もいますが、右側の岩の輪郭線です。その左に描かれているのは背景の雪山ですが、この雪山の輪郭線も何ともヘタクソな、へロへロとした線で描かれています。画中には、意味不明のベタッとした黒い塊も見えます。

つまり、「秋冬山水図」は現実の風景を紙上に再現しようとした絵ではありません。「ここに、どうしてもこういう縦の線がほしい」「こっちは白く抜きたいけれど、あまり白くしてしまうと間抜けだから、あっちを黒くしておこう」という風に、目の前の景色から意識が離れてしまっている。その意識を突き詰めていくと、オランダ出身の抽象画家ピエト・モンドリアンのようになるわけです。

モンドリアンも、森の風景を描いた連作からスタートし、モチーフをどんどん単純化して、ついには画面を縦横の線で区切って、色で塗り分けただけの純粋抽象画に至りました。その五〇〇年も前に、モンドリアンに通じる抽象化の意識を持っていた雪舟は、世界初の抽象画家ではないかと私は思っています。

国宝「天橋立図（あまのはしだてず）」（京都国立博物館蔵）も、写生画の真骨頂と称揚されていますが、現地に足を運んでみると、そんな風に見える場所はどこにもありません。写実と雪舟の頭のなかにある構成が入り混じった絵なのです。そういう目で見ていくと、この「破墨山水図」にも、抽象化の強い意識が感じられます。雪舟はヘンな絵を描く人――それがわかると、雪舟ワールドをもっと身近に、もっと面白く味わえると思います。

インテリ絵師が示した「引用の美」

一四世紀、鎌倉時代の末以降に中国からもたらされた絵画のニューモードは、日本に水墨画の豊かな文化を育む契機となりました。この頃に輸入された数多の絵画のなかでも、とりわけ大きな影響を与えたのが牧谿の作品です。

牧谿は、一三世紀、南宋時代の末から元代初めにかけて風光明媚な杭州（こうしゅう）・西湖（せいこ）の畔（ほとり）に暮らし、筆をふるった画僧です。室町時代以降、多くの絵師が牧谿画に学び、これを模した絵や、画中のモチーフを引用した作品を残しています。

ここに挙げた能阿弥（のうあみ）（一三九七〜一四七一）の「花鳥図屛風」もその一つです。これは、日本にもたらされた牧谿画のなかでも圧倒的なクオリティを誇る「観音猿鶴図」の、非常に高度な引用によっ

能阿弥「花鳥図屏風」
1469年／紙本墨画・四曲一双／出光美術館蔵／重要文化財

て構想された名品です。制作年がはっきりしている、現存最古の日本の屏風絵でもあります。

能阿弥は、雪舟よりも一まわりほど年上ですが、ほぼ同時代を生きた水墨画家と言っていいでしょう。京都では芽が出ず、地方に下って絵を描き続けた雪舟に対し、能阿弥は都で名を成した絵師の出世頭でした。足利将軍に仕え、和歌や能楽、茶事などの芸事を司った「同朋衆」の一人です。また「阿弥派」の祖であり、これを継いだ子や孫も、それぞれ芸阿弥、相阿弥と号しています（「阿弥」は同朋衆に多く見られる号で、能楽・演劇の分野で将軍に仕えたのが観阿弥や世阿弥です）。

室町幕府六代将軍足利義教や、八代将軍義政に同朋衆として仕えた能阿弥は、画家としてのみならず、様々な分野で才を発揮した、いわばマルチアーティストでした。連歌では七賢の一人に数えられ、北野天満宮の連歌奉行も務めています。茶人としても名人と言われるほどの腕前で、立花や香道にも秀で、座敷飾りの指南書である『君台観左右帳記』などの著書も残る超インテリです。

さらに彼は、足利将軍が収集した「唐物」と呼ばれる中国渡来の書画を管理・鑑定する任にも就いていました。つまり、牧谿作品を鑑定する立場にあったということです。ナンバーワンの名画と称賛された「観音猿鶴図」は、足利将軍家のお宝コレクションのなかでもとりわけ大切にされていましたが、能阿弥はこれを自由に観ることができたわけです。

牧谿の「観音猿鶴図」は三幅から成り、中央の一幅に観音、左に鶴、右に猿の親子が描かれています。観音は岩の上に座し、白い衣が柔らかなS字カーブを描いています。観音や親子猿のほうを向いて嘴を開く鶴の背景には竹林が広がり、母猿は朽ちかけた木の上で子猿を抱いています。

能阿弥の「花鳥図屏風」はこの絵を高度に引用した作品だと述べました。しかし、観音も猿もいません。燕や雀、鳩、鷺、カササギ、オシドリ、日本にはいない「叭々鳥」というカラスに似た鳥など、たくさんの鳥が描かれていますが、鶴の姿もありません。

鶴の姿は見えないけれど、左隻の左端には竹林がのぞいています。そして、その右に描かれた、蔦のからまる朽木は親子猿がいた木を別の角度から描写したものです。さらに、画面中央には上部が平らな岩が配され、蓮が葉を広げています。蓮は観音を象徴するアイコン。つまりこれは、牧谿画で観音が座っていた岩なのです。

まったく異なる図様のように見えて、実は「観音猿鶴図」の道具立てを色濃く反映し、不在になった主役たちを想起させる仕掛けが随所にほどこされています。よく見ると、右隻右端の水辺に突き出した岩のカーブは、牧谿が描いた観音の衣の裾のラインとそっくり。細部に渡ってさりげなく牧谿のモチーフや筆致が引用されている——というより、ここまでくると、もはや「牧谿尽くし」とさえ言えるほどです。

私がこの作品を研究したのは三〇代の頃でした。落款を分析したところ、能阿弥が経豪という浄土真宗の僧侶に住職就任祝いとして贈った絵だということがわかりました。経豪は能阿弥の手引きで、きっと牧谿の名画を見ていたのでしょう。このプレゼントは、「あなたなら、この絵の意味がわかりますよね？」というメッセージが込められた、非常に高度な遊びでもあったのです。

手本となる中国画を、ただ丸写ししたり、モチーフを借りたり、筆致を真似たりするだけでなく、能阿弥はこの作品で高度に洗練された引用の方法論を示したのだと思います。

縄文的な野心家が描いた弥生的な名画

能阿弥に連なる阿弥派は、ほかにも牧谿の図様を取り込んだ作品を残していますが、そんな阿弥派と牧谿の作品を強く意識していたのが、一世紀のちに活躍する長谷川等伯です。等伯の画論を筆録した『等伯画説』には、牧谿や能阿弥の話が繰り返し出てきます。つまり、水墨画の先達二人に心酔した等伯の筆が生み出したのが、国宝中の国宝とも言える「松林図屛風」（136ページ）なのです。

ここ四半世紀ほど、私は縄文的な美術作品をかなりプッシュしてきましたが、もともとの専門は、その対極とも言うべき水墨画でした。卒業論文では、まさにこの「松林図屛風」を軸として等伯作品を分析しました。この絵は、等伯が牧谿の「観音猿鶴図」を見ていなければ描かれなかったものです。特に右幅の松が、そのことを物語っています。

将軍家に伝来し、のちに京都・大徳寺の所蔵となった牧谿画の最高峰を等伯に見せたのは、この寺とゆかりの深い千利休でしょう。利休は等伯の腕と、溢れんばかりの野心に目をつけ、「牧谿の絵を見せてやるから、あれを超えるような絵を描いてみろ」とけしかけたのだと思います。

等伯は、牧谿の猿図に特徴的な、筆をクルッと返す枝の描き方を「松林図屛風」に応用しています。しかし、松を描く牧谿の筆使いが柔らかなのに対し、等伯の松は、より大胆で、筆の勢いを強調しています。

これは、牧谿を手本とした他の等伯作品にも見られる特徴です。たとえば、出光美術館所蔵の「竹鶴図屏風」は「観音猿鶴図」の左幅、鶴図を模した作品ですが、牧谿の竹に微妙なしなりがあるのに対し、等伯の竹は直線的で、描き方もぶっきらぼうです。

相国寺蔵の「竹林猿猴図屏風」や龍泉庵蔵の「枯木猿猴図」など、牧谿の猿図に倣った作品も描いていますが、哲学者然とした牧谿の猿に対し、等伯の描く猿図は、お父さん猿も加わって、家族でキャッキャと笑いながら遊んでいるように見える。猿の毛並みの描き方はそっくりですが、牧谿の筆致・画風を過激に増幅し、より強く、より激しいタッチでカラッと明るい場面に変換しています。

「松林図屏風」に話を戻しましょう。この作品には、実はちょっとしたミステリーがあります。通常、屏風は五枚の紙を縦に継いでつくりますが、この松林図は左右両隻とも、途中で継ぎ目がずれています。しかも、他の等伯作品にはない印章が使われている。おそらくこれは、等伯自身が押した印ではない——極端に言えば、印はニセモノなのです。

でも、ご心配なく。絵そのものは等伯の真筆で間違いありません。研究者の間で有力な

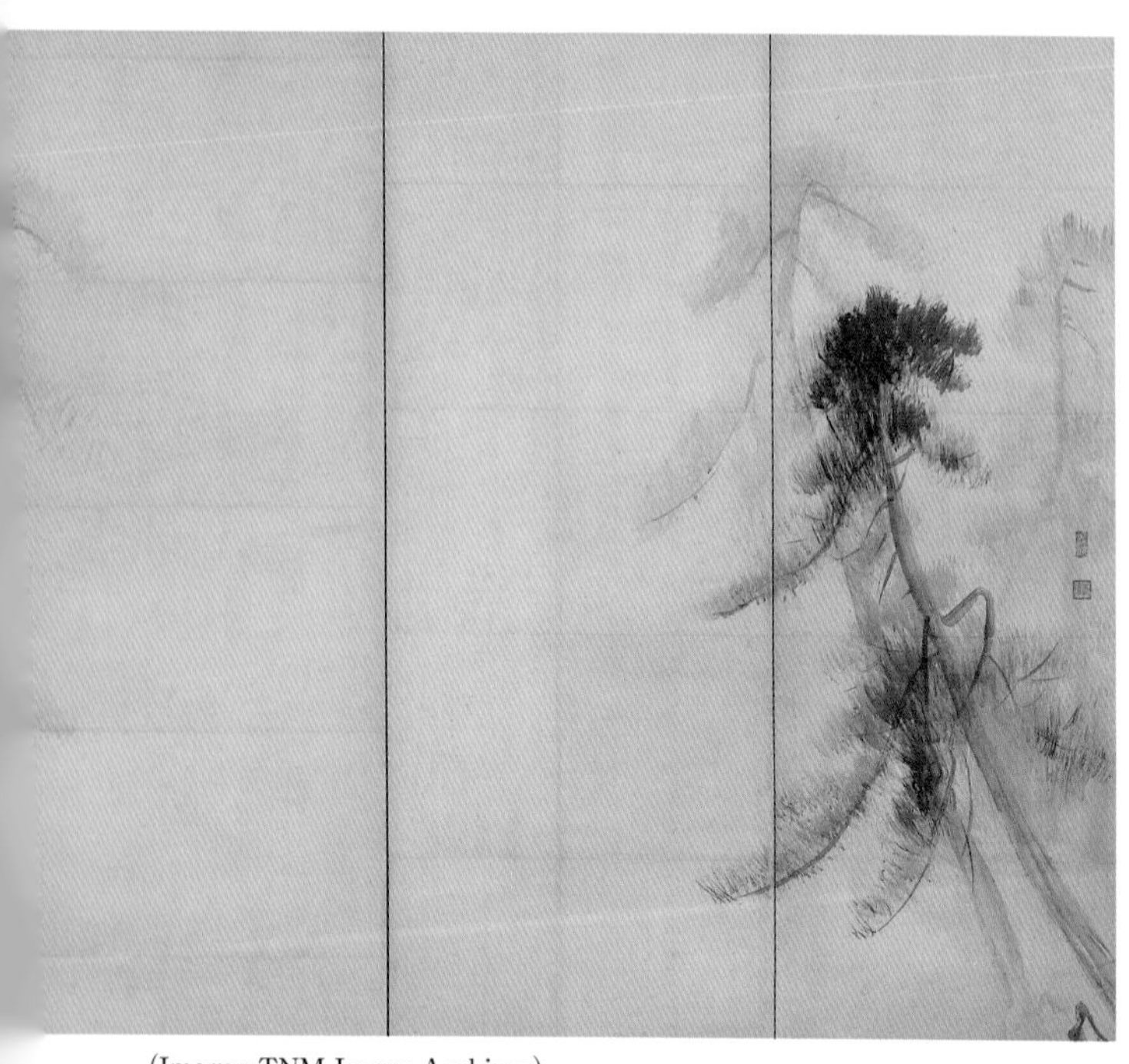

(Image : TNM Image Archives)

のは、これはそもそも屛風に仕立てるために描かれたものでも、完成された作品でもなかったという説です。おそらく、もっと大きな襖（ふすま）絵の下絵だったのでしょう。それがたまたま残っていて、あまりにも出来が素晴らしいので、後世の人が屛風に仕立て直し、印章もつくって捺（お）したのだろうというのがほぼ定説となっています。

　実際、継ぎ目がまっすぐに通るようにすると、当初はもう少し大きな画面だったこと

長谷川等伯「松林図屛風」(右隻)
16世紀末/紙本墨画・六曲一双/東京国立博物館蔵/国宝

がわかります。継ぎ目を整えてオリジナルのサイズに戻せば、画中に表わされた景の奥行きが深まり、左隻の右上にうっすらと描かれた雪山を頂点とした、よりスケールの大きな、見事な画面になると思われます。

牧谿の絵を見た体験は、その後の等伯の画業に決定的な影響を与えました。雪舟や能阿弥もそうですが、彼らの作品がいかに凄いかを語ったところで、その元となった絵を知らなければ、本当にわかっ

(Image : TNM Image Archives)

たことにはなりません。
　牧谿は、日本の水墨画の父とも言うべき存在です。なかでも「観音猿鶴図」は、日本にある中国絵画――否、世界中にある中国絵画の最高峰といっても過言ではありません。しかし、専門家以外に知る人がほとんどいないというのが現状です。母国・中国でも、すっかり忘れられていま す。みんな「モナリザ」は知っているのに――。
　しかも、牧谿の作品は日本にしか残っていません。「観

長谷川等伯「松林図屛風」（左隻）
16世紀末／紙本墨画・六曲一双／東京国立博物館蔵／国宝

音猿鶴図」は大徳寺が大切に守り伝え、年に一度、一〇月の第二日曜日に一般公開しています。紅葉の京都を訪ねるなら、足を延ばして実物を観てみるといいでしょう。

「削る美」を思想として極める

縄文が「盛る」美なら、弥生は「削る」美と言えます。そして安土桃山という、すべてを絢爛豪華に盛るのが良しとされた時代に、とことんまで削るという美意識を打ち出したのが、千利休（一五二二〜

九二）でした。

その極点とも言えるのが、利休がつくった茶室「待庵（たいあん）」です。削りに削って、わずか二畳のスペースに、頭を垂れ、這うようにしなければ入れない躙口（にじりぐち）、竹を裁ち切っただけの花入れ――。利休はここに、時の最高権力者である豊臣秀吉を招き入れ、自ら点（た）てた茶を、何の造作もない真っ黒な茶碗で振る舞いました。

利休が「待庵」をつくったのは、一五八二年頃なので、ちょうど秀吉が天下を取り、利休が秀吉の茶頭（さどう）となった頃でした。想像してみてください。領地・権力の拡大を追求し、それを誇示する道具立ての豪華さを競っていた時代です。信長や秀吉に仕えた彼は、成り上がりの戦国武将の美意識を、おそらく半分は馬鹿にしていたのだと思います。

「待庵」で対峙するところから始まった秀吉と利休の関係が、一〇年後にどんな結末を迎えたかは、みなさんもご存知でしょう。削る美を一つの思想として究めた千利休は、命をも削ってこれを貫いたのです。

その思想を具現化した待庵も、黒楽茶碗も、すべては利休が仕組んだ究極のコンセプチュアル・アートと言えます。それはパフォーマンス・アートであり、インスタレーションでもあり、環境芸術でもありました。フランス出身の美術家マルセル・デュシャン（一八

「待庵」
1573～92年／柿葺・切妻造・茶室二畳／京都・妙喜庵蔵／国宝

八七～一九六八）が展覧会場に便器を置き、「泉」と題して「これがアートだ」と言ったのと同じです。その三〇〇年も前に「待庵」をつくった利休は、今ごろ草葉の陰で「お前もなかなかやるじゃないか」とデュシャンに言っているような気がします。

ところで、利休という人が、どんななりをしていたか気になりませんか？　京都・大徳寺に、利休が建立した三門「金毛閣（きんもうかく）」があります。その楼上には、秀吉の逆鱗（げきりん）に触れ、切腹の沙汰を受ける一因となった曰く付きの利休の木像が置かれていますが、これを見る限り、意外にがっしりした体型だったと想像されます。

また、利休像のある、この楼閣の天井画は長谷川等伯の手によるものです。天井のみならず、太い梁や柱にもびっしりと極彩色で描かれていますが、勅使河原宏（てしがわらひろし）監督の映画「利休」で脚本を担当した赤瀬川原平さんは、まるで「楼閣の内側が全身刺青（いれずみ）を入れているよう」だったと著書『千利休――無言の前衛』（岩波新書、一九九〇）に記しています。

筆に力が入ったのも当然でしょう。三十路を過ぎて能登の田舎から都に出てきた等伯が、一代で狩野派に対抗するほどの勢力を築きえたのは、利休の知遇を得られたからこそです。等伯は、利休によって見出された画家と言っても過言ではありません。

真っ黒な茶碗を焼いた長次郎も同様でしょう。利休は、一介の陶工にすぎなかった長次

長次郎「黒楽茶碗　銘・ムキ栗」
16世紀／国（文化庁所管）／重要文化財

郎を見出し、宇宙をも飲み込むような漆黒の茶碗を焼かせました。彼は、利休が構想した侘び茶の美意識にかなう茶碗を、轆轤（ろくろ）を使わず手捏（てづく）ねで成形し、低温で一つずつ焼き上げ、茶陶の家系として今なお続く楽家の初代となったのです。

ここに挙げた「ムキ栗」は、モダンでデザイン的な面白さがありますが、たとえば、私が「未来の国宝」として推す樂美術館蔵の「面影（おもかげ）」、あるいは三井記念美術館蔵の「俊寛（しゅんかん）」、茶釜の肌を模したと言われる「大黒（だいこく）」あたりは、ただただ真っ黒な茶碗です。

よくある形のように見えて、実は茶碗を持つ客の手の形を考え抜いて成形されているのですが、一般の人にはパッと見、何が凄いのか「ワカラナイ」かもしれません。しかし、ここまで読んでくださった方であれば、それらが当時の世の中の潮流に抗う「反骨の表現」であったと、わかっていただけるのではないでしょうか。

「ZEN」で世界的注目を集めた、飾らない意匠の極致

能阿弥や等伯に見られる、余白の美を追求する意識は、絵画だけでなく、庭の造作からも感じ取ることができます。その代表が京都・龍安寺の石庭です。大きな矩形の囲みに白砂を敷き詰め、大小一五の石と苔を五カ所に分けて配しただけの無造作なしつらえは、弥生的な「飾らない」意匠の極致と言っていいでしょう。

龍安寺は、室町幕府の有力者であった細川勝元が一四五〇年に創建した禅寺です。しかし石庭については、いつ、誰が、どんな意図を持って築造したのかはっきりとはわかっていません。わからないけれど、ここに来るとなぜかみんなテツガクしたくなる。

一体、何がそうさせるのか。「稜の立った石、滑らかな石が、白砂のなかで、それぞれに違ったかたちを呼応させる。その互いの『間』の置きかたの、測りつくした絶妙さが、この驚くべき単純な組み立てを、いつまでも見飽きないものにしている」と、辻惟雄先生

龍安寺の石庭
室町時代／京都・龍安寺／国の史跡および特別名勝／tamuram/PIXTA（ピクスタ）

は指摘しています。

　利休の待庵や等伯の松林図と同じ「削る美学」が貫かれた龍安寺の石庭は、外国人観光客に人気のスポットでもあります。これこそ日本的美の真骨頂と、みな神妙な面持ちで庭を眺めています。しかし、水も木もない枯山水の庭は、実は必ずしも日本独自のものとは言えません。

　中国の蘇州（そしゅう）には、太湖石（たいこせき）と呼ばれる奇石や柳などの緑をわずかに配しただけの石畳の古い庭が残り、ニューヨークのメトロポリタン美術館にも、これを模したものがしつらえられています。なのに、なぜ観光客は龍安寺の石庭でテツガクしたがるのか。

一九五〇年代に仏教学者の鈴木大拙(一八七〇〜一九六六)がアメリカに渡って禅の教えや文化を伝道し、これに影響を受けたジャック・ケルアック(一九二二〜六九)、アレン・ギンズバーグ(一九二六〜九七)といったヒッピーカルチャーの旗手が「ZEN」と持ち上げたことが一因であることは間違いないでしょう。

多くの日本人が龍安寺に行くようになったのは、国鉄(現・JR)が「ディスカバー・ジャパン」のキャンペーンを展開した七〇年代以降です。一九七五年にはエリザベス女王が龍安寺を公式訪問して石庭を絶賛し、折からのZENブームとあいまって大きな注目を集めるようになりました。意外に最近のことなのです。

石庭の美しさは何も変わっていないのですが、それを見る私たちの価値観がいかに他所からの評価に左右されやすいか、そのことを示す、いい例と言えるでしょう。

瀟洒淡白な画風を確立した江戸画壇のゼネコン

狩野派は、室町時代後期から明治の初めまで、実に四〇〇年以上も命脈を保ち続けた日本絵画史上最大の画派です。

初代は、足利将軍家の御用絵師を務めた狩野正信。二代目・元信が、やまと絵の華麗な彩色と水墨画の表現を融合した独自のスタイルを確立し、これをさらに発展させて、豪放な大画面様式を打ち立てたのが四代目・狩野永徳です。永徳は大勢の弟子を従えて、信長や秀吉をはじめとする戦国武将の御用を一手に受注し、画壇における狩野派の地位を磐石なものとしました。

前章で述べたように、その牙城を揺るがしたのが長谷川等伯です。しかも、等伯が狩野派の脅威となるなか、カリスマ宗主・永徳が急逝したことで一門に動揺が走ります。狩野派は、宗家の直系を中心に各方面の権力者との結びつきを強化し、このピンチをなんとか凌ぎますが、その時大きな役割を果たしたのが、永徳の孫・探幽（一六〇二〜七四）でした。

五代目として京の宗家を継いだのは、永徳の長男・光信でしたが、光信の甥にあたる探幽は、徳川幕府の御用絵師として江戸に移住する道を選んだのです。探幽は徳川家康、秀忠、家光と歴代将軍に重用され、やがて探幽の次弟・尚信や、光信の跡を継いで狩野家宗主となった末弟の安信も、探幽が足場を築いた江戸に召されて幕府御用絵師となります。こうして永徳の高弟・山楽と、その養子である山雪らを京都に残し、宗家一族は京から江戸へと本拠を移したのでした。

探幽は、流派の画風・家法も一変させました。同じ巨木を描いても、永徳の絵が絢爛豪

華・豪放勇壮だったのに対し、この「雪中梅竹鳥図」に象徴されるように、探幽の絵は瀟洒淡白です。襖四面のうち左二面には、わずかに老梅の枝先と尾長の優美な小鳥が描かれるのみ。右二面も対角にたっぷりと余白をとり、雪をまとった巨木の佇まいも端正です。

永徳が生きた時代と違って、戦乱の血なまぐささが薄れていくなか、画風に変化が求められていたということもあるでしょう。しかし、画風の改変はそれだけが理由ではない気がします。探幽は、江戸狩野派を率い、大坂城から江戸城、京の二条城から御所まで、

狩野探幽「雪中梅竹鳥図」
1634年／紙本淡彩金泥引・襖四面／名古屋城総合事務所蔵

幕府の主だった造営事業で障壁画制作の指揮をとりました。こうして公共事業を独占するゼネコン的な組織には、永徳の頃のように執拗に描き込む余裕はなかったはずです。つまり、誤解を恐れずに言うならば、探幽が志向した余白の美は、「省エネ画法」だったのではないか――。

永徳の画風や巨木表現は、山楽・山雪ら京狩野が引き継ぎ、京都・天球院に見事な金碧障壁画を残しています。探幽の「雪中梅竹鳥図」と同じ頃に制作された、山雪筆の天球院障壁画「梅花遊禽図屏風」(重要文化財)は、江戸狩野から傍流扱いされ、公儀の仕事

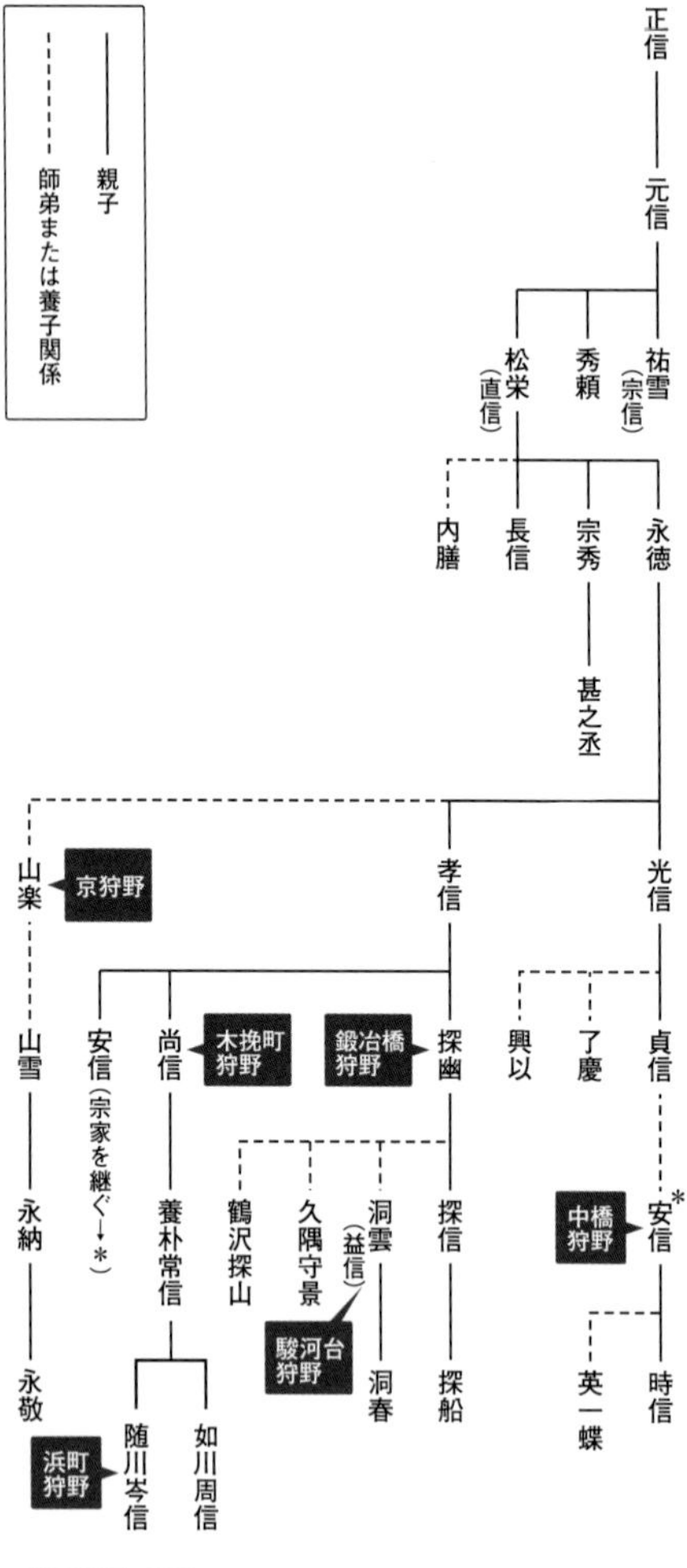

正信
元信
祐雪（宗信）
秀頼
松栄（直信）
永徳
宗秀
長信
内膳
甚之丞
光信
孝信
山楽 ◀ 京狩野
貞信
了慶
興以
探幽 ◀ 鍛冶橋狩野
尚信 ◀ 木挽町狩野
安信（宗家を継ぐ→＊）
山雪
安信＊ ◀ 中橋狩野
探信
洞雲（益信） ◀ 駿河台狩野
久隅守景
鶴沢探山
養朴常信
永納
時信
英一蝶
探船
洞春
如川周信
随川岑信 ◀ 浜町狩野
永敬

―――― 親子
- - - - 師弟または養子関係

狩野派略系図

から遠ざけられた京狩野の鬱屈（うっくつ）が感じられる、大変興味深いものです。

ちなみに、探幽が名古屋城の襖にこの淡白な雪景色を描いている頃、第三章で紹介した岩佐又兵衛は、全一二巻に及ぶ「浄瑠璃物語絵巻」を描いています。こちらは、ほとんど余白のない、超細密で、ケバケバしいほど極彩色の絵巻です。やがて又兵衛も江戸に召され、尾張徳川家に嫁ぐ家光の娘のために婚礼調度制作にあたることになるのですが、幕府は探幽の瀟洒淡白を好んでいたのではなかったか、それとも淡白さに飽きてきていたのか？こんな風に複数の作品を対比しながら、あれこれ想像してみるのも面白いでしょう。

狩野派からスピンアウトした凄腕絵師の「軽み」

何とも素朴で、のどかな風情ですが、次ページの通称「夕顔棚」も、狩野派に連なる絵師の作品です。しかも一九五二年に早々と国宝に指定されていると言ったら驚くでしょうか。探幽の老梅図が余白の美を追求し、都会的な華やぎを匂わせるのに対し、こちらは画面に漂う、ほのぼのとした「軽み」が魅力です。

夏の夜、夕顔棚の下に筵を敷いて、一家が寛いでいます。江戸初期の歌人で、元は戦国武将の木下長嘯子が詠んだ「夕顔のさける軒ばの下涼み　男はててれ　女はふたのもの」という和歌をテーマにしたものでしょう。「ててれ」は襦袢、「ふたのもの」は腰巻の意です。

農村の情景ですが、その風貌や佇まいは、一家が武士階級だったことを匂わせます。特

久隅守景「納涼図屛風」
17世紀／紙本墨画淡彩・二曲一隻／東京国立博物館蔵／国宝
(Image : TNM Image Archives)

に右側の、半裸で涼む女性は透き通るように色白で、表情にも気品があり、野良仕事が似合う女性には見えません。

さらに注目すべきは、人物を描写する線の表情です。お父さんには抑揚のある太い線、お母さんにはごく細い線が用いられ、その描き分けが見事です。俳諧的な軽み、朴訥(ぼくとつ)とした風情を醸(かも)しつつも画力の高さが垣間見えます。

それもそのはず、筆者の久隅守景(くすみもりかげ)(生没年不詳)は探幽の高弟で、探幽門下四天王の一人に数えられた凄腕です。探幽の姪を妻に迎えていることからも、派内で信頼を勝ち得ていたことがわかります。王道の障壁画作品も数々残しています。

しかし、息子が島流しになったり、娘が狩野門下の絵師と駆け落ちしたりと不祥事が続き、そうしたことが災いしてか、守景は一門を追われることになります。その後、加賀前田藩の招きで金沢に滞在し、そこで独自の画境を開拓していったとされています。

この「納涼図屛風」も、その頃に描かれたものでしょう。以前、雑誌の記事で、この守景に「田園詩人になった元エリート」というキャッチコピーをつけましたが、北陸に多く伝わる守景作品は詩情豊かで、対象を見つめる作者の眼差しの暖かさが伝わってきます。

ところで、この作品、三人が同じところを見ていることから、本来は左にもう一隻あって、一家の視線の先にあるものが描かれていたという研究者もいます。そうだとすると、彼らは何を見ていたのでしょう。

ゼネコン化した江戸狩野派は、総帥・探幽が確立した様式・画風の踏襲を派内に徹底させ、幕府の大仕事を粛々とこなしていきました。組織はそれで安泰でも、絵には面白みがなくなっていきます。夕涼みを楽しむ一家は、そんな都会の画壇を「大変そうだねぇ」と遠くから眺めていた、そう考えるのは皮肉な見方でしょうか。

謎めいて弥生的な禅画の白眉

禅の世界はよくワカラナイという人も、この「○△□」はどこかで見たことがあるのではないでしょうか。描いたのは江戸時代後期の禅僧、仙厓義梵（一七五〇～一八三七）です。

仙厓義梵「○△□（まるさんかくしかく）」
1819〜28年頃／紙本墨画／出光美術館蔵

縄文的な画の一つとして、臨済宗中興の祖・白隠慧鶴の「達磨図」(86ページ)を取り上げましたが、仙厓はその二世代のちの人です。四〇歳の頃から臨済宗の祖・栄西(えいさい)が博多に開いた聖福寺(しょうふくじ)の住職を務め、二〇年以上にわたって寺の再興に尽力しました。

白隠と同じく、絵は自己流です。求めに応じて誰にでも描き与えたため、本業ではない揮毫の依頼が絶えず、「うらめしや　わが隠れ家は　雪隠(せっちん)か　来る人ごとに　紙おいてゆく」という狂歌を詠んだほど(ちなみに仙厓さんは狂歌の名手でもありました)。

白隠の画が掟破りで大胆不敵、ドキッとさせられるような強さを秘めているのに対し、仙厓の筆致はあくまでも優しく、飄々(ひょうひょう)として、その筆致は伸びやかです。また、思わずクスッとさせられるような愛嬌があります。

仙厓が本格的に絵を描き始めたのは聖福寺の住職時代で、四〇代も後半頃からと言われます。俗世で庶民と親しく交わりながら教化に尽くした布袋(ほてい)像を多く描いていますが、この絵には賛もなく、画中にその意味・意図を知る手がかりすらありません。

しかし、抽象的な図像ながら、具象性を切り捨てた現代の純粋抽象とは違う、温もりが感じられます。これを見て目を丸くしている人や、難しい顔をして考え込んでいる人を、絵の向こうから仙厓さんがニヤッと笑って見ているような、ユーモラスな側面がある。究極のシンプルでありながら、不思議な味わいのある一枚です。

余白のうちに気配や音を描いた昭和の粋

明治・大正から昭和初期にかけて活躍し、弥生的な作品を生み出した画家として、ここで取り上げておきたい人物がいます。小村雪岱(こむらせったい)(一八八七〜一九四〇)です。

幼くして父親を亡くした雪岱は、小学校を卒業すると、親戚を頼って埼玉県川越市から上京し、青春期を日本橋檜物町(ひものちょう)で過ごします。その後、一六歳で画家を志し、東京藝術大学の前身である東京美術学校に入学。下村観山(しもむらかんざん)らに師事して日本画を学びますが、恵まれた境遇ではなかった彼は、画壇とは距離を置き、本の装丁や挿絵など、いわゆる商業美術の世界で身を立てていきました。

一八八九年に創刊され、現在も発行されている美術史の学術誌『國華』(朝日新聞出版)で木版画の制作に従事したのを皮切りに、一時は資生堂に入社して、香水のパッケージやロゴのデザインなど化粧品広告も手掛けています。舞台美術の才も広く認められ、溝口健二監督作品で映画美術を担当したこともありました。今で言えば、グラフィック・デザイナー、あるいはアートディレクターの元祖とも言うべき存在です。

そんな彼の名を広く世に知らしめたのは、新聞小説の挿絵でした。その極めつけが、一九三三年に『朝日新聞』に連載された邦枝完二作の小説「おせん」の挿絵です。たっぷりとした余白を効果的に配した構成、極細の線描、華奢な人物。「雪岱調」と呼ばれる独自の画風をつくり上げ、江戸時代中期に美人画で一世を風靡した浮世絵師・鈴木春信にちなんで「昭和の春信」とも絶賛されました。

そしてごく少数ですが、愛好家から依頼されたとおぼしき絹本の肉筆画も残っています。この「青柳」もその一つです。畳の上に、三味線と鼓だけがポンと置かれています。稽古の前なのか、あるいは後なのか。誰もいないのに、ここに居たはずの人の気配を感じ

小村雪岱「おせん 雨」
1941年頃／木版／清水三年坂美術館蔵

させる、巧妙な演出です。ゆったりと流れる時間や、かそけき風の音、町内の息遣いまで表現されています。

彼が若い頃に暮らした日本橋檜物町は、料亭や茶屋、置屋がひしめく花街でした。長唄や三味線の師匠の家も多く、この寡黙な絵にも、その風情、情緒がにじんでいます。

雪岱は、若い頃から泉鏡花（いずみきょうか）の大ファンで、いくつかの鏡花作品で装丁を手掛けています。この絵は、彼が初めて装丁を手掛けた鏡花作品『日本橋』で、その見返しに描いた絵を元に展開したものです。春の景色ですが、同様に秋を描いた絹本の肉筆画「落葉」、

小村雪岱「青柳」
1924年頃／絹本着色／埼玉県立近代美術館蔵

冬景の「雪の朝」があることから、おそらく春夏秋冬の連作で、夏の景を描いたものもあったのではないでしょうか。四点揃えば、きっと「未来の国宝」候補になるレベルです。

画壇とは距離を置き、商業美術の世界に身を置いたことが災いしてか、あるいは太平洋戦争の開戦前年に亡くなったせいか、その存在は戦後、徐々に忘れられていきました。こ二〇年くらいで、ようやく本格的な再評価が進み、雪岱単独の展覧会も開かれるようになりましたが、この人の作品の魅力は、もっともっと知られていいと思います。

私にとって雪岱は、いわゆる研究の対象ではありません。直截（ちょくせつ）に言えば、ファンです。それも、かなり熱烈な。もっと応援したいけれど、荒されたくない――、ファン心理とは微妙なものです。

シャープさとカッコよさで突出した近代の名画

私が次ページの「漣（さざなみ）」と遭遇したのは高校二年の時でした。「こんなカッコイイ日本画があるのか」と驚いたことを覚えています。まだ、日本画に格別の興味があるわけでもなく、まして日本美術史の知識など皆無に等しかったのですが、それでもこの絵の先進性と稀有なカッコよさは、一七歳の門外漢の心を捉えて離しませんでした。

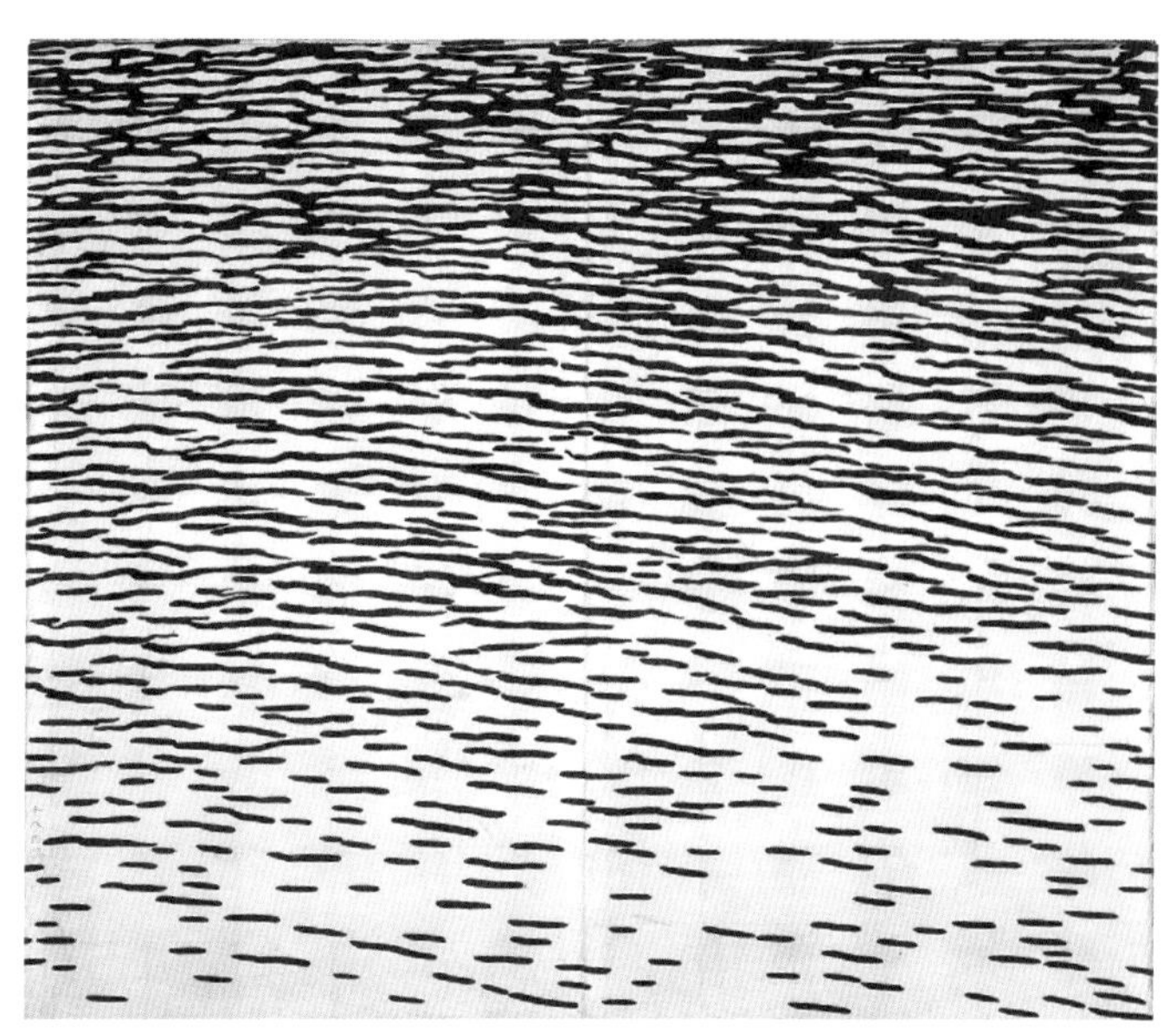

福田平八郎「漣」
1932年／絹本白金地着色／大阪中之島美術館蔵／重要文化財

この作品が帝展で発表されたのは一九三二年です。金箔の上にさらにプラチナ箔を貼ってつくり出した銀地の画面に、群青で漣が描かれているだけ。他に一切の描写も色もありません。この斬新で、あまりに潔い表現は賛否両論を呼び、なかには「まるで浴衣の模様」と酷評する人もありました。

作者の福田平八郎（一八九二〜一九七四）は、一九一九年の第一回帝展で初入選し、第三回帝展で特選となった「鯉」が宮内庁買い上げになるなど、官展を中心に早くから活躍していた画家です。本人も回顧している通り、初期の作品には宋・元時代の花鳥画からの影響が強く見られます。また、平八郎が若い頃に京画壇で流行っていた、妖しい陰影をつけた絵も描いていますが、やがて彼本来の特質である、大胆なトリミングやデザイン感覚を活かした独自の画風を構築していきます。

それを象徴するのが、この作品です。しかし、当時の画壇やアカデミズムは平八郎の感覚についてこられなかったのでしょう。「漣」に示された、装飾性と抽象性を高度なレベルで融合した画風が評価されたのは、戦後になってからでした。それほど大胆で衝撃的だったということです。

一面銀地の画面は、琳派の作品を彷彿させます。江戸時代末期の絵師・酒井抱一（さかいほういつ）の「夏秋草図屏風」や、その弟子・鈴木其一の「芒野図屏風」（すすきのずびょうぶ）、銀地または金地にプラス一色で画面を構成したものとしては、俵屋宗達の「蔦の細道図屏風」もありますが、平八郎の「漣」は格段に抽象化され、具体的なものを表わすモチーフが、まったくない。部分を切り取って見ると、群青のミミズが這っているようにも見えますが、抽象的なモチーフの積み重ねから、静かな水面の表情を見事に表しています。

彼の盛名を確固たるものにしたのは、還暦を迎えた頃の作品「雨」（東京国立近代美術館蔵）です。画面いっぱいに描いてあるのは、濃鼠（こいねず）の屋根瓦のみ。極限まで抽象化しながらも、質感が見事に表現されており、温かな実感があります。

おそらく彼は、雪岱の「青柳」を見ていたのだと思います。そこに描かれた瓦から着想したのが、一面瓦屋根の「雨」だった。タイトルが「瓦」ではなく「雨」なのは、ぽつぽつと降り始めた雨粒が瓦に染みて出来た跡こそが、絵の主題だったからです。平八郎は二階にある画室から、よく屋根瓦を観察していたそうです。雨粒が落ち、瓦に染みて消えていく様子が、まるで生き物の足跡のように感じられたと語っています。

昭和という時代に、日本画における究極のデザイン性を達成したのが「漣」と「雨」。日本の近代絵画のなかで、シャープさとカッコよさがこれほど突出した絵もないでしょう。明治以降の絵画で国宝に指定されたものは一点もありませんが、今後は必ずや出てくるはず。いや、出てきてほしい。高橋由一（たかはしゆいち）の「豆腐」、狩野芳崖（かのうほうがい）の「悲母観音（ひぼかんのん）」、そして雪岱、平八郎——。今世紀は無理でも、二二世紀には！と期待しています。

第五章　いかに日本美術は進化してきたか

外来の刺激を換骨奪胎

縄文の造形を源流とする旺盛な装飾意欲や、そこから生み出されたエネルギッシュな表現。弥生の造形を原型として、日本人が丹精してきた典雅なニュアンス。対極的な二つの美感に育まれた日本美術の多彩さを感じていただけたのではないでしょうか。

第一章、および第二章で詳述した通り、縄文と弥生の「ハイブリッド」であることが日本美術の肝です。日本は、長い歴史のなかでつねに外来の刺激にさらされてきました。それを消化し、換骨奪胎して、まったく新たな美や価値を生み出してきたのです。

その最たるものの一つが、文字です。漢字の形をしゃなりしゃなりと変容させた仮名(かな)は、平安時代を通じて熟成され、一一世紀の半ばから一二世紀にかけて完成された日本独自の美と言っていいでしょう。仮名というビジュアルの美しさを極めておきながら、日本は漢字も捨てませんでした。双方の混成的な言語として見事に体系化し、今なおそれを維持し続けているのは、世界を見渡しても稀有な事例と言えます。日本文化の根幹をなす文字そのものからして、ハイブリッドな成り立ちをしているわけです。

絵画をはじめとする美術も、古来、中国から多大なる影響を受けてきました。だからといって、そのコピーや二番煎じに終わらせていないところに、日本美術の底力を見ることができます。大陸から美のニューモードが入ってくると、当初こそ輸入ものを至上として珍重しますが、やがてそのエッセンスを抽出して独自に成熟させ、自分のものにしてしまう。外来の美も日本独自の美も、フレキシブルに並存させつつ融通無碍に混淆していくメンタリティーや、血肉化の仕方は見事というほかありません。

私は、室町時代の水墨画における中国絵画の影響をテーマに研究者としてのキャリアをスタートさせ、そのなかで、「これは日本でしか生まれ得ない」というものを、たくさん発見しました。その一つが、牧谿の名画を独自に展開させた能阿弥の「花鳥図屛風」(130ページ)であり、その牧谿画の松の表現に触発された等伯の「松林図屛風」(136ページ)でした。

宋・元代の中国画を、実に一〇〇〇点以上模写して研鑽を積んだと言われる若冲の作品にも、興味深い作例があります。たとえば、「白鶴図」は、元末明初に活躍した中国の画家・文正の「鳴鶴図」を手本とした作品です。

臨済宗の古刹・相国寺が蔵する「鳴鶴図」は、日本における鶴の絵の古典として大切に伝えられてきた一級の名画です。狩野探幽や土佐光起も模写しています。若冲の「白鶴図」も、鶴の姿や配置は文正筆の原本とそっくりで、一見すると「完コピ」ですが、背景に別の中国画からモチーフを借りて組み合わせるなど、大胆に改変しています。波のうねりや飛沫の表現、まるでレースのような羽の透け感などには、「動植綵絵」に大成される若冲独自の画風の萌芽を見ることができます。

このように、日本美術はつねに外来の刺激を受けながら進化を遂げてきました。それは縄文の系譜においても同じです。本章では複数の作品を比較しながら、対極的な二つの美観の狭間で、日本美術がどのような驚きの表現を獲得してきたかを見ていくこととしましょう。

未来志向の大屋根を突き破った縄文土偶

第二章で国宝の縄文土偶は五体あると述べましたが、そのうち、私が最も注目しているのは「仮面の女神」です。逆三角形の顔、どっしりと太い足、左右に大きく広げた腕――。これ、岡本太郎の「太陽の塔」に似ていると思いませんか?

太郎が見たら、「縄文人が俺の真似をした!」と主張するかもしれません。しかし、残念ながら彼は見ることができませんでした。「仮面の女神」が出土したのは二〇〇〇年で、太郎はその四年前に他界しているからです。

大阪の万博会場に「太陽の塔」をつくったのも、出土する三〇年前です。岡本太郎は、一九五二年の「縄文土器論」(第二章参照)に続き、『今日の芸術――時代を創造するものは誰か』(光文社、一九五四)、『日本の伝統』、三島由紀夫が激賞した『忘れられた日本――沖縄文化論』(中央公論社、一九六一)など、革新的な論稿を次々と発表しました。日本文化に決定的な影響を与える論者となった彼に、国は万博テーマ展示のプロデューサー就任を要請したのです。

太郎はこれを受諾し、「ベラボーなものをつくってやる!」と宣言し、すでに丹下健三が設計していた大屋根を突き破る、高さ七〇メートルもの巨大な塔を建てるという構想をぶち上げました。丹下健三は、現在の東京都庁を設計した人で、二〇世紀の日本における最も重要な建築家の一人です。彼は太郎の構想に激怒し、取っ組み合いの大喧嘩になったという逸話も残っています。

大阪万博のテーマは、「人類の進歩と調和」でした。丹下が設計した大屋根も、技術の進歩が人類にバラ色の未来をもたらすという趣旨に沿ったものです。しかし、「人類は進歩なんかしていない!」と太郎はこれを真っ向から否定し、未来志向の優雅な大屋根を突き破り、驕り浮かれる人間を睥睨するかのような、ベラボーな巨像をつくったのです。

会場に屹立する異形の塔を見て、当時一二歳だった私は「まるで怪獣みたいだ」と思いました。しかし、還暦を迎えた今は確信を持って言えます。これは、大地から湧き出た巨大な縄文土偶だ、と。

「仮面の女神」は見ていなくても、この塔を構想した太郎の脳裏に縄文土偶のイメージがあったことは間違いありません。縄文のダイナミックな造形美との出合いは、太郎の作品に大きな変化をもたらしました。六〇年代の絵画作品には、うねるような力強い曲線が多用されていますが、これも縄文の造形からインスピレーションを得たものでしょう。やがて彼の関心は、絵画から彫刻・建築へと移り、アニミズム的な立体作品「精霊」や、ズバリ「縄文人」と題したブロンズ作品も生み出しています。

「太陽の塔」は、自らの内なる縄文的エネルギーを爆発させた、彼の集大成とも言うべき作品です。シュールな巨大土偶内

「仮面の女神」
縄文後期（紀元前2000～前1000年）／長野県中ッ原遺跡出土／長野・茅野市蔵（©茅野市尖石縄文考古館）／国宝

岡本太郎「太陽の塔」
1970年／大阪府日本万国博覧会記念公園（提供：岡本太郎記念館）

の空間には、原生生物から恐竜、人類へと至る生命の歩みを表現した極彩色の「生命の樹」が枝を広げ、地下部分には世界各国の仮面や神像が立ち並んでいました。

万博会場にあった未来志向のパビリオンはすべて撤去され、人類の原初を示した「太陽の塔」だけが今なお同じ場所で泰然としているというのは、皮肉と言うべきか、必然と言うべきか。荒廃していた塔内を修復・再生して、二〇一八年から一般公開しています。完全予約制ですが、機会があればぜひ内側からも見てみることをおすすめします。

過去と現在が交錯する二一世紀の洛中洛外図

縄文土偶との衝撃的な出合いから「太陽の塔」が生まれ、牧谿の水墨表現や利休の前衛が等伯に「松林図屏風」を描かせたように、先行する作品を起爆剤として生まれた豊かな表現が日本美術にはたくさんあります。

金雲たなびく「東京圖 六本木昼図（ろっぽんぎひるず）」の、都市の景観と狂騒を俯瞰で描くという構成も、室町時代以来の伝統的な洛中洛外図を意識したものです。雲間にのぞく細密な描き込みは、第三章で取り上げた岩佐又兵衛の「洛中洛外図屏風」（64ページ）を彷彿させます。

洛中洛外図は京の都を活写したものですが、現代の美術家・山口晃（やまぐちあきら）が描いたのはメトロポリス東京でした。しかし、よく見ると奇妙です。六本木ヒルズは形が歪み、その周辺にはヘンテコな洋風建築や和風の館、寺院、庭園などがびっしり描き込まれています。時空を超えて過去と現代が交錯する、不思議な光景――。六本木ヒルズならぬ「昼図」というタイトルにも、この作家ならではの洒落が利いています。

山口晃は一九六九年生まれで、私が初めて会ったのは一九九〇年代の終わり頃だったと思います。「頼朝像図版写し」や「山乃愚痴　明抄（やまのぐち　あきらむのしょう）」など、日本美術史からの引用がこれほど巧みな作家がいるのかと、デビュー当初から注目してきました。

洛中洛外図的な都市の俯瞰図で一躍脚光を浴びて以降も、五木寛之（いつきひろゆき）の新聞小説「親鸞」の挿絵や、チープな素材を用いた茶室のインスタレーションなど、日本美術の伝統に連なることを強く意識した作品を続々と発表しています。特に、森美術館所蔵の本作や、二〇一五年に茨城県の水戸芸術館で開催された「山口晃展　前に下がる　下を仰ぐ」に展示された四曲一双の「Ｔｏｋｉｏ山水（東京圖２０１２）」は、平成の東京版洛中洛外図として、後世まで伝えられていくでしょう。

旧来の美術全集は、現代の作品を埒外とし、その価値を軽んじてきたようなところがあります。しかし、古色を有難がっているばかりでは、歴史は早晩澱（よど）んでしまいます。私が

©YAMAGUCHI Akira, Courtesy of Mizuma Art Gallery

山口晃「東京圖 六本木昼図」
2002年／紙にペン・水彩／森美術館蔵（撮影：木奥恵三）

編集委員を務めた小学館の『日本美術全集』では、最終巻「日本美術の現在・未来」に、山口作品を五点収載しました。同巻には彼も「私と日本美術」という論考を寄せているので、よろしければご一読ください。

紙や絹に岩絵具で描くのが日本画の正道とされてきましたが、日本美術史との親和性が極めて高い作品を生み出してきた山口は、基本的に岩絵具を用いず、油絵具や水彩、アクリル絵具で制作しています。東京藝術大学日本画科出身である村上隆も然り。彼らの作品こそ、二一世紀の「日本画」であり、画材によるジャンル分けは、もはや意味をなさなくなってきています。そんなことより、作品そのものからビシビシ伝わってくるエネルギーや、日本美術史と真摯に対峙する彼らの創作姿勢を感じとってほしいと思います。

不遇の画家が描いた南国の「動植綵絵」

昭和の日本画家・田中一村(一九〇八〜七七)は、幼い頃からズバ抜けた画才を発揮し、神童と呼ばれた人です。しかし、順風だったのは東京美術学校(現・東京藝術大学)に進学するまで。同級には東山魁夷などもいましたが、一村は入学からわずか二カ月でドロップアウトしてしまいます。

その後、川端龍子が主宰する青龍社展や、院展、日展など様々な公募展に応募するも、思うような評価は得られず、落選が続きます。ついに中央画壇に見切りをつけ、ひとり奄美大島に移り住む決意をした頃には五〇歳になっていました。

当初は畑作もしていたようですが、やがて大島紬の工場に就職し、絵を描きながら染色工として働き、お金が貯まると仕事を辞めて三年ほど画業に専念する暮らしを続けました。そうして描いたのが、亜熱帯の自然をモチーフにした日本画の連作です。

「不喰芋と蘇鐵」や、同じく一村の代表作として知られる「アダンの海辺」（個人蔵・千葉市美術館寄託）といった一連の作品は、いわば奄美版「動植綵絵」と言っていいでしょう。一村が、若冲の絵を見知っていたかどうかはわかりませんが、植物で画面を埋め尽くす表現は、「薔薇小禽図」など「動植綵絵」に通じるところがあります。複雑に重なり合うモチーフが醸す、一種異様な空気も、「動植綵絵」の「群鶏図」（71ページ）を彷彿とさせます。一村の作品世界は、若冲のアニミズム的表現と通底していると言えるでしょう。

わかりにくいかもしれませんが、画面中央、植物の隙間からのぞく水平線上に「立神」と呼ばれる岩礁が小さく描かれています。奄美には、島に聳える山と沖の岩礁とを結ぶ「神の道」があるという民間信仰があり、一村はそれを描こうとしていました。聖なるも

伊藤若冲「動植綵絵」全30幅のうち「薔薇小禽図」
1761～65年頃／絹本着色／宮内庁三の丸尚蔵館蔵

田中一村「不喰芋と蘇鐵」
1973年以前／絹本着色／個人蔵（田中一村記念美術館寄託）

のが宿る自然を見つめ尽くした眼も、画壇とは距離を置いて自らが信じる絵を描き続けた点も、二人に共通するものです。

忘れ去られていた時期があるとはいえ、生前から高く評価されていた若冲に対し、一村は終生、中央画壇に認められることなく、奄美の自宅でひっそりと息を引き取りました。そんな彼の作品が一躍知られるようになったのは、一九八四年のことです。NHK「日曜美術館」で放送された「黒潮の画譜 異端の画家 田中一村」がきっかけでした。

当時、大学院生だった私は、この番組をリアルタイムで観て、東京の日本橋高島屋で開かれた翌年の展覧会で、初めて一村の作品を目の当たりにしました。「アダンの海辺」に描かれた、岩絵具ならではの質感を生かした砂浜の描写に瞠目したことを覚えています。

以後、再評価が進み、各地で単独展が開かれるようになったほか、二〇〇一年には奄美に立派な田中一村記念美術館もできました。いつの日か、若冲と一村の画を並べて見られるような展覧会を実現できればなぁと思います。

ギョッとする美人図の系譜①——蕭白から松園へ

若冲の「動植綵絵」と、田中一村が描いた奄美の連作は、二〇〇〇年の時を超えた「つながり」が見えて興味深いケースで、日本美術の深層に滔々（とうとう）と流れる縄文の伏流水を、彼らが共有していたことを示しているように思います。

このように、縄文の水脈は、ときに日本美術の地殻を揺るがし、間欠泉の連鎖を引き起こすことがあります。ここに挙げた、妖女を描いた三作はその好例でしょう。

ビリビリに破いた手紙を噛んでいるのは、若冲と同時代の絵師・曽我蕭白が描いた「美

曽我蕭白「美人図」
1764年／絹本着色／奈良県立美術館蔵

長沢芦雪「山姥図」
1797年／絹本着色／広島・嚴島神社蔵

人図」です。奇怪路線を爆走した蕭白らしく、美人図というより狂女図と言ったほうがいいかもしれません。裾から覗く襦袢は、滴る鮮血のようにも見え、それを際立たせる真白の足指も長くて異様です。

これに触発され、さらに狂気を増幅させているのが「山姥図（やまうばのず）」です。筆者は、円山応挙の弟子、長沢芦雪（一七五四〜九九年）。彼は、師の画風に倣った、几帳面で雅趣豊かな絵も描いていますが、もともと奔放快活で、型破りな性格だったようで、旅先では応挙の目が届かないのをいいことに、ずいぶんハメを外していたといいます。

そんな芦雪が、師の画風とは対極にある、蕭白のグロテスクな表現に憧れていたことが見てとれるのが「山姥図」でしょう。蕭白は、当時、京画壇の中心にいた三歳年下の応挙にライバル心を燃やしていました。目の敵（かたき）とも言うべき応挙の高弟から憧れられたというのは、何とも皮肉なことです。

もう一枚の妖女は、明治から昭和の初めにかけて活躍した日本画家、上村松園（うえむらしょうえん）（一八七五〜一九四九）の手による「焔（ほのお）」。描かれているのは、源氏物語に登場する六条御息所（ろくじょうのみやすどころ）の生霊（いきりょう）です。

国の重要文化財にも指定されている「序の舞」をはじめ、清楚で凛とした女性像を描き

上村松園「焰」
1918年／絹本着色／東京国立博物館蔵
(Image : TNM Image Archives)

続けた松園の画業において、これは極めて異色の作品です。のちに松園自身も「たった一枚の凄艶な絵」と否定的に振り返っていますが、松園にこれを描かせたのは、蕭白の「美人図」を観た体験だろうと、私は考えています。

当時、蕭白の「美人図」を所蔵していたのは京都の老舗、鳩居堂・熊谷家でした。松園の家はそのすぐ近くにあり、彼女は鳩居堂でこの絵を見ているのです。芦雪が描いた山姥もそうですが、松園の作品にも異様に足指の長い女性を描いたものがあり、これも足フェチ・蕭白の影響ではないかと思われます。

ギョッとする美人図の系譜②――劉生と御舟

蕭白の絵とはまた違った意味でグロテスクなのが、速水御舟(一八九四〜一九三五)の「京の舞妓」です。御舟は松園より二〇歳ほど年下ですが、先に他界しているので、同時代の画家と言って差し支えないでしょう。

わずか四〇年の短い人生でしたが、御舟はそのなかで次々と新しい表現に挑んでいます。暗闇に浮かび上がる炎と、そこに群がる蛾を象徴的に描いた「炎舞」、琳派的な装飾美を打ち出した「名樹散椿」など、同じ画家の絵とは思えないほど作風が異なります。

速水御舟「京の舞妓」
1920年／絹本着色／東京国立博物館蔵（Image : TNM Image Archives）

重要文化財に指定されているこの二作は三〇代の作品ですが、「京の舞妓」を描いたのは二〇代半ば頃。若き画家は、畳の目の一本一本までしつこく描き込み、絞りの着物や陶器の質感も、舌を巻くほどリアルです。

よく見ると、畳の目や髪の毛から、舞妓の肌、着物の生地に至るまで、線を重ねて描写しています。塗り壁のようなエグイ化粧も線で描かれ、「塗って」いません。日本画の画材でミクロなレベルまでリアリズムを追求した画面からは、とことんやってやる！という画家の気概が伝わってきますが、その「やりすぎ」が気に障ったのか、横山大観(よこやまたいかん)はこの絵を見て激怒し、御舟を日本美術院同人から除名すべきだと憤慨したそうです。

とてつもない熱量を注ぎ込んで克明に描かれた舞妓の相貌は、たしかに不気味で、かなり衝撃的です。この絵のモデルは、同時代の日本画家・土田麦僊(つちだばくせん)も描いた舞妓の君栄(きみえ)さん。彼女の名誉のために言っておくと、写真も残っていますが、こんなに不細工ではありません。

では、なぜ御舟は、非常識とも言うべき表現に突き進んだのか。契機となったのは、当時、最も先端的な油絵を描いていた岸田劉生(きしだりゅうせい)(一八九一～一九二九)の作品でしょう。御舟が「京の舞妓」を発表する前年に劉生が描いた「麗子坐像」も、モデルの少女は絞りの着

岸田劉生「麗子坐像」
1919年／油彩・カンヴァス／ポーラ美術館蔵（Image：ポーラ美術館／DNPartcom）

物をまとい、画家はその質感をリアルに描き出しています。特に着物の丸く黒い柄の部分は、実物を観ると、絞りのツノの立体感だけでなく、黒く染められた部分がふんわり浮き上がって画面から迫ってきます。

　しかも劉生は、モデルを務めた娘・麗子の顔を極端にデフォルメして描いています。顔やボディのボリューム感に比して、袖口からのぞく右腕と手が極端に華奢で、なおかつ超絶リアル

――。漆黒の背景に浮かび上がるその姿は、不気味な存在感を放っています。

劉生は、麗子が生まれて間もない頃から、一五歳になるまで、つまり画家自身が他界する直前まで娘をモデルに描き続けました。油彩、水彩、水墨など五〇点ほどの麗子像が現存しますが、なかでも五歳の麗子を描いた本作は、質感描写が最も徹底していて凄みがあります。おそらく御舟は、劉生が油彩で構築した世界に、日本伝統の画材である岩絵具で対抗しようとしたのだと思います。

劉生は御舟以上に短命で、三八歳でこの世を去っています。しかし、時流に与するとなく独創孤高を貫いた劉生が、同時代の画家に与えたインパクトは絶大でした。御舟も例外ではありません。当時、日本の画壇には洋画と日本画が交錯して火花を散らすような状況があり、劉生と御舟は、そんな時代のトップランナーとも言うべき存在でした。御舟が劉生の「麗子坐像」を見たことを裏付ける文献資料はありませんが、複数あるデフォルメされた麗子像を、御舟がまったく知らなかったはずはありません。

麗子像に表現された、グロテスクなまでに生々しいリアリズムは、おそらく彦根屏風をはじめとする近世初期風俗画や中国元代の「寒山拾得図」などからインスピレーションを得たものでしょう。とりわけ「寒山拾得図」に顕著に見られる、濃くてグロテスクな美し

甲斐庄楠音「春宵（花びら）」
1921年頃／絹本着色／京都国立近代美術館蔵

さを、劉生は「デロリ」という造語で賞しています。劉生が憧れ、熱心に研究したデロリ感覚を持つ先達の筆頭と言えば、岩佐又兵衛が挙げられます。そして、劉生に続くデロリ系の極北にいるのが、甲斐庄楠音（一八九四〜一九七八）です。

どうです、この「春宵（花びら）」に描かれた花魁の、凄まじいデロリ感。一九二六年の国画創作協会第五回展に楠音が出品しようとした「女と風船」という絵は、協会の中心メンバーだった土田麦僊に「穢い絵は会場を穢くする」と陳列を拒否されています。この一件以降、楠音は「穢い絵で綺麗な絵に勝たねばならん」と決意し、より激烈なエグ味を放つ「穢い絵」路線を突き進んでいったのです。

昔話を油彩でコテコテに描いた「デロリ」の血脈

第三章で取り上げた山本芳翠の「浦島」（106ページ）も、劉生流に言えば「デロリ」の系譜に連なる作品です。日本の伝統的な物語世界を、油彩でこってり緻密に描いています。

この「浦島」の後継とも言えるのが、荒れ狂う海を舞台にした群像劇「海と戦さ」です。八歳の安徳天皇が入水する、平家物語のワンシーンを描いたもので、筆者は終戦直前に学徒出陣した牧野邦夫（一九二五〜八六）です。

終戦後、復学して東京美術学校油画科を卒業しますが、その後の彼は、画壇と交わることも、時代の要請や流行に一瞥をくれることもなく、自分が描きたいもの、納得のいく作品をとことん追求していきます。東京美術学校時代の恩師・伊原宇三郎の教えを守って、生涯、毎日一二時間以上描き続けたそうです。

求道者的な画家・牧野は、生前、美術団体には

牧野邦夫「海と戦さ（平家物語より）」
1975年／油彩・カンヴァス／個人蔵

所属せず、美術館に展示される機会もなかったため、一般にはほとんど知られていません。私が彼の絵を初めて見たのも、没後二〇年を記念して画廊で開かれた二〇〇六年の小さな回顧展でのことでした。展覧会の案内状に掲載された作品画像を見て、こんな凄い画家がいたのかと衝撃を受けたことを覚えています。

レンブラント（一六〇六～六九）に傾倒し、ヨーロッパの古典的油彩技法を高度に体得した牧野は、北方ルネサンス的な細密で写実的な作品を多く描いています。レンブラントの画風を強く意識しつつも、「海と戦さ」をはじめとする彼の大作は、どれも破天荒で、西洋絵画への追随というレベルを遥かに超えています。

描かれたモチーフが新たなモチーフを呼び起こし、画家の想像力が四方八方に飛躍してカンヴァスを濃密に埋め尽くしている――。ディテールは超絶リアルなのに、完成した作品に広がるのは、縄文的エネルギーと装飾意欲が炸裂する超現実世界。

この画家の力量を知るには、実物と対峙してもらうほかありません。「海と戦さ」に加えて、ぜひ見ていただきたいものを挙げるとすれば、「未完成の塔」でしょうか。こちらは、五〇歳で描き始め、五〇代で一層目を、六〇代で二層目を仕上げ、九〇代で五層目を描いて完成させる予定だったという、驚くべき未完の大作です。土俗性に根ざした日本美術の底力を感じていただければと思います。

シンクロする日本の古美術と現代美術

徳川二代将軍秀忠をはじめ、六人の将軍が霊廟に眠る増上寺(ぞうじょうじ)に秘蔵されていた仏画の大連作が、二〇一一年、江戸東京博物館で公開され、大きな反響を巻き起こしました。幕末の絵師・狩野一信(一八一六～六三)が人生の集大成として、文字通り命を賭して描いた「五百羅漢図(ごひゃくらかんず)」全一〇〇幅です。

五〇〇人の羅漢が超人的パワーを発揮して繰り広げる奇跡の数々を、鬼気迫る筆致で描いた、脅威のスペクタクル。縦一七〇センチを超える巨大な掛け軸が一〇〇幅ズラリと並んだ光景は、実に壮観でした。

この連作は、二幅を一対として、五〇の場面を描いています。なかでも、地獄に落ちた人々を羅漢が救済する第二一・二二幅の「六道・地獄」は、画力のすべてを尽くした一信会心の作と言えるでしょう。最前列で悪鬼を威嚇する羅漢の、胸毛の一本一本まで執拗に描いています。丹念かつ繊細な描き込みで画面を埋め尽くす一方、助けを求める人々の表情や風の表現には水墨画的な描法を駆使するなど、筆が冴えわたっています。

「六道・地獄」は、伝統的な仏画の技法を踏まえた上で、水墨による大胆な表現を試みた野心作ですが、一信の先取の精神が表われて秀逸なのが、第四九・五〇幅の「十二頭陀・冢間樹下／露地常坐」です。ここでは西洋画の陰影表現を意欲的に取り入れ、聖と妖が混濁したような、不気味な深みを画面に構築しています。その鮮やかな色彩には、西洋絵具が使われた可能性も指摘されています。

一信は、この連作プロジェクトに四〇代の一〇年間を捧げ、一心不乱に描き続けました。四〇代のすべてを仏画の連作に投じた姿は若冲と重なりますが、長命だった若冲に対し、一信は九六幅を描き終えたところで力尽き、完成を見ずに四八歳で没しています。シリー

狩野一信「五百羅漢図」第22幅「六道・地獄」
1854～63年／絹本着色／東京・増上寺蔵

狩野一信「五百羅漢図」第49幅「十二頭陀・冢間樹下」
1854〜63年／絹本着色／東京・増上寺蔵

ズ終盤は、うつ病になった一信を助けて弟子の一純(かずよし)や、妻の妙安(みょうあん)も制作に関わりますが、明らかに画面の密度は落ちていきます。最後の四幅は、一純や妙安が一信の遺志を継いで完成させたものです。

一信は、その名が示す通り、狩野派の末端に連なる絵師ですが、その存在は世間からも、日本美術史においても長らく忘れ去られていました。画家渾身の「五百羅漢図」は、極めて縄文的で、奇想度もダイナマイト級なので、明治以降のアカデミズムが、これを黙殺したとしても不思議ではありませ

村上隆「五百羅漢図」
2012年／アクリル絵具、カンヴァス／森美術館「村上隆の五百羅漢図」展展示風景（2015年）（撮影：高山幸三、画像提供：森美術館）

ん。

　私は、日本美術史上最大の隠し球とも言うべき一信の「五百羅漢図」に光を当てるべく、先述の展覧会を企画・監修しました。展示作業中に東日本大震災に見舞われましたが、約一カ月遅れで開幕した同展は、一〇万人近くの観客を動員しました。

　さらに、この展覧会は思わぬ余波をもたらすことになりました。会場で一信の絵に瞠目した辻惟雄先生が、当時『芸術新潮』誌で「ニッポン絵合せ」なる連載を協同していたアーティストの村上隆に

「五百羅漢図」の制作を提案し、全長一〇〇メートルにもおよぶ村上隆版「五百羅漢図」の誕生へとつながったのです。

一九六二年生まれの村上は、東京藝術大学の日本画科出身です。かつて永徳が大勢の弟子を率いて安土城の障壁画を制作したような、狩野派の工房制作を意識していたのだと思います。彼は、この壮大なプロジェクトに全国の美大生を動員し、厳しく指導しながら、わずか一年余りで完成させました。

村上版「五百羅漢図」は、二〇一二年にカタールでお披露目され、その三年後に東京の森美術館で、ようやく国内初公開されました。図様の奇抜さや構図の大胆さは写真でも感じていただけると思いますが、シルクスクリーンを何度も重ねるなど、実物を見るとテクスチャーの精緻さに驚かされます。

これは、山口晃の「東京圖 六本木昼図」や、会田誠（あいだまこと）の「紐育空爆之図（にゅうようくくうばくのず）（戦争画RETURNS）」、池田学（いけだまなぶ）の「誕生」などとともに、間違いなく日本絵画史に残っていく作品だと思います。五百羅漢という伝統的な画題を通して、日本の古美術と現代美術が直結し、シンクロしながら大きな果実をもたらした事例としても、後世まで語り継がれていくでしょう。

西尾康之「Crash セイラ・マス」
2005年／ Ⓒ創通・サンライズ（撮影：木奥恵三、提供：ANOMALY）

一万年の時空を超えて直結した縄文

まだまだ一般には知られていない作家のなかにも、凄い作品をつくっている人がいます。なかでも私が特に注目しているのが、彫刻家の西尾康之です。

彼の立体作品には異様な迫力があります。縄文の造形に通じる複雑かつ過剰な装飾に加え、そのつくり方も独特です。道具を使わず、自分の手指だけでつくっているのです。通常は、最初に粘土で立体像をつくり、それを石膏で塗り固めます。石膏が固まったら、なかの粘土を取り除き、石膏の「型」をつくる。そこにブロンズなどを流し込んで、ようやく立体作品の完成と相成ります。

ところが彼は、作品の原型となる粘土の立体像をつくりません。最初から粘土を手や指でグイグイ押しながら、型をつくっていきます。こうしたつくり方を、陰刻(いんこく)と言います。つまり、完成形のイメージは、彼の頭のなかにしかないということです。そのイメージに沿って、彼自身が像のなかに入り込み、自らの手で空間を押し広げながら巨大な像をつくり上げているのです。

北海道で出土した国宝の縄文土偶も中空構造になっています。その中空に縄文人の指先からほとばしる思いが宿っているように、西尾作品からも、縄文的な凄まじい熱量が私たちにぐいぐい迫ってくる。作品を見るたびに思います。彼は、弥生の血が一滴も入っていない、生粋の縄文人だろう、と。一万年の時を超えてシンクロする現代の縄文的造形に、もっと注目が集まっていいと思っています。

日本美術はどこへ行くのか

鎖国を解いた明治以降、多くの画家が本場で油彩画を学び、西洋の画家に伍して活躍せんと意気込んで海を渡りました。しかし、世界的名声を手にしえた日本人画家は、明治から昭和を通じて藤田嗣治ただ一人と言っても過言ではないでしょう。

そんな状況が大きく変化したのは、ここ二〇年くらいのことです。村上隆、草間彌生、杉本博司など、幾人かの現代作家が国際的な評価と注目を集め、目覚ましい活躍をしています。そして今も新たな作家が次々と誕生しています。

彼らに共通しているのは、西洋至上主義的な価値観や、旧態依然とした閉じた画壇に満足せず、独自の物差しで日本美術、日本美術史と向き合いながら、作品制作を行っていることです。

あるいはインスタレーション（展示空間を含めて作品とみなす手法）が常套手段化し、「作品」をつくることなど前時代的だ、という風潮が蔓延する中で、先に挙げた西尾康之のように、それ以上の強度で作品づくりを行う、ある意味で職人的なストイックさを持った人たちも登場しました。彼らを、日本美術史の一つの根幹をなす「アノニマスな職人の系譜」と位置付けてもいいでしょう。

私は、そうした彼らの姿勢にこそ、どうしようもなく西洋美術に追随してきた近代以降の日本美術とは異なる次元を拓く鍵があるのではないかと思っています。先に述べたように、彼らは世界的に評価され、すでに大きな注目を集めていますが、私に言わせれば、まだ十分ではありません。

たとえば私は、『未来の国宝・MY国宝』という本のなかで、いまだ「国宝ではない」けれども「国宝指定されるべき（されてほしい）」作品を、五二件取り上げました。そのうち「近現代」の作品は二一件。奈良・平安時代の重要な作品はすでに国宝に指定されているからということもありますが、それほど近年の日本美術の展開は目覚ましく、素晴らしい作品がたくさんあるということです。

それと歩調を合わせるように、戦後の断絶を経て、ようやく日本美術史も大きくアップデートされようとしています。みなさんはまさにそのような歴史的な転換点に立ち会っているのです。

終章　日本美術の底力とは何か

知らないことは財産である

縄文の土器・土偶から、今をときめく現代アーティストの作品まで、日本美術の一端を駆け足で紹介してきました。

縄文と弥生のハイブリッドであること、外来の刺激を換骨奪胎して独自の美に昇華してきたこと、この二点を押さえた上で、実物を「観る」という経験を積み重ねていけば、日本美術鑑賞のよすがとなる座標軸ができてくるはずです。

「ワカラナイ」ことにコンプレックスを感じる必要はありません。「わからなきゃいけない」という思い込みは捨てましょう。最初は、予備知識なしでＯＫ。むしろ知らないことは財産です。

岡本太郎は、何の予備知識もなく博物館で縄文土器に遭遇し、その衝撃的な出合いから、日本美術史を書き換えることとなった「縄文土器論」が生まれました。また、イラストレーターの南伸坊（みなみしんぼう）さんが著したエッセイ『モンガイカンの美術館』（朝日文庫、一九九七）は、アカデミズムに毒されていない目で「ゲージュツ」の核心に斬り込んだ、痛快にして異色の美術書です。そして、その南さんに装丁を手掛けてもらった、赤瀬川原平さんと私の対談集『日本美術応援団』。本書の「はじめに」でも触れましたが、まえがきに赤瀬川さんは次のような一文を寄せています。

「日本美術の応援に鉦や太鼓はいらない。まずは素手でいい。丸腰のまま、外野席に坐る」。そして、「やはり見るのは生に限る」と。赤瀬川さんも、南さんも、岡本太郎もアーティストですから、まったくの丸腰とは言えません。しかし、彼らは教科書的な知識や既成概念に寄りかかることなく、自分の目で観ている。これこそが美術鑑賞の肝です。

自分の目で観る。とにかくたくさん観る。「知識がないと、観てもワカラナイ」という人もいますが、それは違います。知識で頭が一杯になっている人は、絵を観ていません。知識が「観る」ことを邪魔してしまうのです。

何かを知ってしまうと、知らない状態には二度と戻れません。その意味で、知らないことは財産なのです。勉強するな、とは言いません。でも、せめて美術展では、絵を観る前に、その傍らに添えられた小さな解説ボードを読むのは止めていただきたい。筆者の名前を見て、「ほほう、これが雪舟の絵か」と思った瞬間、フィルターがかかって、目の前の作品から何も受け取れなくなってしまうからです。

教科書に書かれた美術史は絶対ではない

一方で、絵を観る楽しみを広げ、深めていくためには、もちろん知識も大切です。「どっちなんだ！」と怒られそうですが、まずは丸腰でたくさん観て、作品の持つ力を味わってみる。そして、観ながら少しずつ知識も得ていく。ポイントは、鑑賞時は体得した知識を一度引き出しのなかに仕舞って、目の前の作品と虚心坦懐に向き合うことです。

人間というのは、権威に弱い生き物です。教科書に名画として紹介されていた絵を前にすると、「これはきっと凄いものだ」と思ってしまう。考えてみれば、日本人は、自国の文化を自分の目でちゃんと見てこなかったのではないでしょうか。

浮世絵にしても、江戸時代には良俗を乱すとして度々禁令の憂き目に遭っています。安く大量に刷られた浮世絵版画は、絹本着色などの肉筆画に比べて一段低く見られていました。ところが明治以降、ヨーロッパで大ブームを巻き起こし、その人気が逆輸入される形で再評価が進んで、近年、ものによっては破格の高値がついています。

マンガやアニメも同じでしょう。子どもの教育上よろしくないとバッシングされた時代もありましたが、今や「世界に誇る日本文化」と、国が税金を使って輸出を後押ししています。

権威の云うことや、教科書に書かれた美術史が絶対的なものではないことは、江戸時代の絵画に対する評価を見ても明らかです。求道者・若冲、パンクロッカー蕭白、都のエンターテイナー芦雪をはじめ、一八世紀の京画壇は江戸絵画史における大きなピークをなしています。

でも、江戸時代の文化について、みなさんは学校ではどう習ったでしょうか？　京で花開いた元禄文化と、その後、江戸で勃興した化政文化という二つのピークがあった——と習ったはずです。前者の筆頭として光琳の、また、後者の担い手として北斎などの名が挙がっていたと思います。この二つのピークの間に、驚くほど大胆で斬新な発想の系譜があったことが歴史として語られるようになったのは、ごく最近のことなのです。

「明治」と「戦後」というフィルター

歴史や伝統は不動不変ではありません。書き換えられない歴史は、いずれ必ず澱んでしまいます。岡本太郎の「縄文土器論」は、弥生的なものばかりを重視する日本美術史観への、強烈な異議申し立てでした。そして、太郎の発言の数々は、伝統芸術を見る日本人の目から鱗を落としてくれました。

もちろん、歴史を書き換えるのは容易なことではありません。今では考えられないことですが、若冲作品のなかでも人気の「鳥獣花木図屏風」は、かつて東京国立博物館の奥で埃をかぶっていました。東博に寄託されていたこの作品を発見したのは、当時、同館に勤めていた美術史家の小林忠(こばやしただし)氏です。

しかし、上層部に「こんなゲテモノ」と一蹴されて、展示許可は下りなかったそうです。小林氏がこの作品についての論文を発表すると、これを読んだ京都の古美術商がすぐさま持ち主に連絡をとって購入しました。それを八〇年代に買ったのが、アメリカの若冲コレクター、ジョー・プライス氏です。

ちなみに二〇一九年、プライスコレクションの約半分を出光美術館が購入したため、「鳥獣花木図屏風」もその一つとして日本に里帰りすることになりました。この作品の凄さを見出し、何度も日本での公開に快く協力してくださったプライスさんに、改めて感謝したいと思います。

日本人が自分の文化を自分の目で見てこなかった背景には、「明治」と「戦後」という二つのフィルターが影響しているように思います。明治に入ると、それまで鎖国政策によって堰(せ)き止められていた西洋美術がどっと流入し、これに気圧(けお)された日本は自らの伝統を

「古臭くて遅れた文化」と見向きもしなくなりました。もちろん、西洋画という怒濤の刺激を換骨奪胎し、自らの血肉にしようとした画家もいます。高橋由一、五姓田義松、青木繁、岸田劉生などがそうで、第三章で取り上げた山本芳翠もその一人です。

江戸時代の美術にとって不幸だったのは、明治期に受けた西洋美術の洗礼に加えて、敗戦後、ＧＨＱが徳川治世下の美術を封建制の遺産として目の敵にしたことでした。日本人もこれに倣って一斉にそっぽを向き、特に江戸幕府の御用絵師だった狩野派の絵は、戦前とは比較にならないほど価格を下げることになってしまいました。

日本美術には、すごい鉱脈がまだまだある！

こうした背景もあって、かつては閑散としていた日本美術の展覧会が、今や空前の大人気を博しています。それはそれで大変よいことなのですが、ブームに乗じて日本の古美術の市場価格が吊り上がり、おかしなことにもなっています。ネットオークションの普及で一般の人も気軽に美術作品を買えるようになったことも、活況の一因でしょう。しかし、この異常な価格高騰の主因は、みんなが「名前」で買っているところにあります。

自分の目で実物をたくさん見たわけではないのに、名前で買うから贋作をつかまされたす、好きな作家の絵を買うのはいいことです。真作の価格が異常に吊り上がったりする。好きな作家の絵を買うのはいいことです。それによって若い作家を応援するのは、なおいい。でも、絶対に名前で買ってはいけない。世界屈指の若冲コレクターであるプライス氏は、最初の一枚である「葡萄図」を、若冲の名も知らず、日本の美術史の知識もなく買っています。どうか自分の目でたくさん観て、自分にとっての「本物」に出合ってください。

繰り返しになりますが、本当に素晴らしい美術作品は、実物を観ればわかります。そこに言葉はいりません。それが美術の力です。そんな作品を見ていると、日本には因襲の殻を打ち破る、斬新な発想の系譜があったのだとよくわかります。日本文化はつねに大陸からの影響を受けてきました。しかし、その基層には縄文の造形に代表されるような、日本独自の創造性が伏流水としてあったのです。

凄い作家ほど伝統を知り、基礎的な経験を積んだ上で革新的な表現を行います。たとえば、琳派からはみ出していった鈴木其一、狩野派のはぐれ者だった山雪は、マニュアル通りにやるだけでは、縮小再生産にしかならないとわかっていたのでしょう。新しい価値は、芸術的な素養を積んだ人の突飛な発想から生まれるということです。

岡本太郎が発見した縄文の美や、辻先生が発掘した奇想の系譜のみならず、日本には、すごい鉱脈がまだまだたくさん眠っています。私たち美術史家は、そうした眠れる鉱脈を発掘し、責任を持って歴史をアップデートしていかなければなりません。

みなさんにも、手垢のついた言葉や既成の価値観に寄りかかることなく、自分の目だけを頼りに作品と向き合ってほしい。そして日本美術の持っている豊かな想像力を味わっていただきたい。そう願ってやみません。

おわりに

私が大学で日本美術史の勉強をはじめてから、もう四〇年ほども経ちました。その四〇年を振り返れば、折り返し地点の二〇年前に、「はじめに」で触れた赤瀬川原平さんとの対談集『日本美術応援団』を刊行したわけです。

その頃の私は、美術史のアカデミックな勉強に窮屈さを感じていて、いわゆる学会的な論文を書くだけではなく、広く一般の人に日本美術の素晴らしさを伝える仕事をしたい、と思うようになっていました。そんな時に赤瀬川さんと出会ったことによって、以後の私の仕事の方向性が決定づけられたように思います。

以後、赤瀬川さんとともに日本全国を旅して、様々な日本美術を観て、六冊もの対談集を刊行することができました。しかし、その赤瀬川さんも、二〇一四年、七七歳で逝去されました。以後、「日本美術応援団」は片翼となってしまったわけですが、その後、井浦新さんなどの新たな団員に加入してもらって、応援団活動を続けています。

本書を、まずは冥界の赤瀬川原平さんに読んでいただきたいと思います。そしてもう一人、私に決定的な影響を与えた、やはり冥界にいる岡本太郎さん、そして彼の終生のパートナーだった岡本敏子さんにも読んでいただきたいと思います。本文でも詳しく述べましたが、「『縄文×弥生』で解き明かす」というサブタイトルは、彼の「縄文土器論」に強く感化されたものなのです。

本書の編集に際しては、NHK出版の山北健司さんにたいへんお世話になりました。彼は大学で美術史を学び、いつか美術に関する書籍を編集したいと思っていたけれど、これがはじめての機会だそうです。ここ数年にわたって、何度も私の講演会などに足を運び、私の著書を熟読し、地道な編集作業を続けてくださいました。ここに末筆ながら記して、感謝したいと思います。

二〇二〇年二月

山下　裕二

	年代	備考および作品名
江戸（後期）	1819～28年頃	仙厓義梵「○△□」
	1833年頃	葛飾北斎、「諸国瀧廻り」シリーズを制作。
	幕末～明治（初期）	土佐で絵師金蔵が活躍。
	1854～63年	狩野一信、「五百羅漢図」全100幅を描く。
	1857年	石川雲蝶「道元禅師猛虎調伏の図」
明治～昭和（戦前）	1877年	エドワード・S・モースが大森貝塚で縄文土器を発見。
	1881年	宮川香山（初代）「褐釉蟹貼付台付鉢」（2002年に重要文化財指定）
	1890年	安本亀八「相撲生人形」
	1893～95年頃	山本芳翠「浦島」
	1919年	岸田劉生「麗子坐像」
	1920年	速水御舟「京の舞妓」
	1921年頃	甲斐庄楠音「春宵（花びら）」
	1924年頃	小村雪岱「青柳」
	1932年	福田平八郎「漣」
	1936年	新潟県で火焔型縄文土器が発見される。
戦後～現代	1952年	岡本太郎、美術雑誌『みづゑ』誌上で「縄文土器論」を発表。
	1958～73年	田中一村「不喰芋と蘇鐵」
	1960年	佐藤玄々、10年がかりで「天女像」を完成させる。
	1970年	大阪万博開催。会場に岡本太郎「太陽の塔」。辻惟雄著『奇想の系譜』が刊行。
	1971年	谷川徹三、論文「縄文的原型と弥生的原型」を発表。
	1975年	牧野邦夫「海と戦さ（平家物語より）」
	1995年	「縄文のビーナス」が縄文土偶として初めて国宝に指定される。
	2000年	京都国立博物館で若冲没後200年展が開催、ブームに火がつく。東京国立博物館では明治工芸を再評価する展覧会が開催。
	2002年	山口晃「東京圖　六本木昼図」
	2005年	西尾康之「Crash セイラ・マス」
	2012年	村上隆「五百羅漢図」
	2018年	史上最大規模の縄文展が東京国立博物館で開催。
	2019年	東京都美術館で「奇想の系譜」展が開催。

関連略年表（本書との関連で主なもののみ）

	年代	備考および作品名
縄文	紀元前13000年頃～	複雑怪奇な文様を施したジャパン・オリジナルな土器・土偶がつくられる。
弥生	紀元前1000年頃～紀元後300年半ば頃	大陸の影響を受け、端正優美な土器がつくられるようになる。
古墳～奈良	6世紀半ば	仏教伝来。遣唐使によっても大陸の先進的文化がどっと流入。
	500年頃	「チブサン古墳」（熊本県）
	700年前後	「高松塚古墳」（奈良県）
平安	9世紀末	遣唐使廃止。
		日本美術は熟成期に。やまと絵という独自の表現が誕生。
鎌倉		中国（宋代）との交易が復活。
南北朝～室町		禅宗と共に中国から美術のニューモードがもたらされ、独自の表現が進化。
	1450年～	龍安寺・枯山水の石庭がつくられる。
	15世紀後半～16世紀前半	作者不明「日月山水図屏風」（2018年に国宝指定）
	1469年	能阿弥「花鳥図屏風」
	1495年	雪舟等楊「破墨山水図」
	1496年	雪舟等楊「慧可断臂図」（2004年に国宝指定）
安土桃山	1573～92年	千利休、「待庵」をつくる。
	1593年頃	長谷川等伯「楓図」
	16世紀末	長谷川等伯「松林図屏風」
江戸（前期）	1614～16年	岩佐又兵衛「洛中洛外図屏風」（2016年に国宝指定）
	1634年	狩野探幽「雪中梅竹鳥図」
	1636年	徳川三代将軍家光が祖父・家康を祀る日光東照宮を造営。
	1615～62年頃	京都に八条宮智仁・智忠親子が桂離宮を造営。
	17世紀	久隅守景「納涼図屏風」（1952年に国宝指定）
江戸（中期）	1757～66年	伊藤若冲、「動植綵絵」全30幅を描き上げる。
	1764年	曾我蕭白「群仙図屏風」（2005年に重要文化財指定）、「美人図」
	1767年	白隠慧鶴「達磨図」
	1797年	長沢芦雪「山姥図」

編集協力　大旗規子
　　　　　猪熊良子
　　　　　㈱不識庵
図版作成　手塚貴子
ＤＴＰ　佐藤裕久

山下裕二 やました・ゆうじ
1958年、広島県生まれ。美術史家。
明治学院大学文学部芸術学科教授。東京大学大学院修了。
室町時代の水墨画の研究を起点に、縄文から現代まで幅広く
日本美術を論じるほか、講演、展覧会プロデュースなど多方面に活躍。
著書に『未来の国宝・MY国宝』(小学館)、
『日本美術の20世紀』(晶文社)、『岡本太郎宣言』(平凡社)ほか多数。
赤瀬川原平との共著に『日本美術応援団』(ちくま文庫)など。

NHK出版新書 619

日本美術の底力
「縄文×弥生」で解き明かす

2020年4月10日　第1刷発行

著者 山下裕二
発行者 森永公紀
発行所 NHK出版
〒150-8081 東京都渋谷区宇田川町41-1
電話 (0570) 002-247 (編集) (0570) 000-321(注文)
http://www.nhk-book.co.jp (ホームページ)
振替 00110-1-49701

ブックデザイン albireo
印刷 近代美術
製本 二葉製本

Printed in Japan ISBN978-4-14-088619-9 C0271

NHK出版新書好評既刊

ふしぎな鉄道路線
「戦争」と「地形」で解きほぐす

竹内正浩

東京〜京都の鉄道は東海道経由じゃなかった? 山陽本線の難所「瀬野八」誕生の理由は? 九州の幻の巨大駅とは? 史料と地図で徹底的に深掘り!

592

明るい不登校
創造性は「学校」外でひらく

奥地圭子

不登校に悩む親子の駆け込み寺・東京シューレの創始者が、変化する現状を的確に描き、不登校経験者の豊かな将来像を経験に基づき説得的に示す。

593

救急車が来なくなる日
医療崩壊と再生への道

笹井恵里子

119番ではもう助からない!? 都心の大病院から離島唯一の病院までを駆け巡ったジャーナリストが、救急医療のリアルと一筋の希望をレポートする。

594

幸福な監視国家・中国

梶谷 懐
高口康太

習近平政権のテクノロジーによる統治が始まった。なぜ大都市に次々と「お行儀のいい社会」が誕生しているのか!? その深層に徹底的に迫る一冊!

595

8050問題の深層
「限界家族」をどう救うか

川北 稔

若者や中高年のひきこもりを長年研究してきた社会学者が、知られざる8050問題の実相を明らかにし、従来の支援の枠を超えた提言を行う。

596

革命と戦争のクラシック音楽史

片山杜秀

優美で軽やかなモーツァルトも軍歌を作っていた? 「第九」を作ったのはナポレオン? 世界史と音楽史が自在に交差する白熱講義!

597

NHK出版新書好評既刊

誰も知らない
レオナルド・ダ・ヴィンチ
斎藤泰弘
芸術家であり、科学者でもあった「世紀の偉人」がなりたかったのは、「水」の研究者だった? 自筆ノートから見えてくる「天才画家」の正体とは――。
598

男の「きょうの料理」
絶品! ふわとろ親子丼の作りかた
NHK出版［編］
NHK「きょうの料理」とともに歩んできた番組テキストで紹介されたレシピの中から、しっかり作れてきちんとおいしい「丼」70品を厳選収載!
599

日本語と論理
哲学者、その謎に挑む
飯田 隆
「多くのこども」と「こどもの多く」はどう違う?「こどもが三人分いる」が正しい場合とは? 日本語のビミョウな論理に迫る「ことばの哲学」入門!
600

世襲の日本史
「階級社会」はいかに生まれたか
本郷和人
日本史を動かしてきたのは「世襲」であり、「地位より家」の大原則だった。摂関政治から明治維新までの流れを読み解き、日本社会の構造に迫る!
601

プラトン哲学への旅
エロースとは何者か
納富信留
えっ!? 紀元前のアテナイでソクラテスと「愛」について対話する? プラトン研究の第一人者が『饗宴』を再現して挑む、驚きのギリシア哲学入門書。
602

AI以後
変貌するテクノロジーの危機と希望
丸山俊一
+NHK取材班［編著］
脅威論も万能論も越えた「AI時代」のリアルとは? ダニエル・デネットなど4人の世界的知性が、人類とAIをめぐる最先端のビジョンを語る。
603

NHK出版新書好評既刊

NHK出版新書好評既刊